JN035563

これからの時代の新しい起業のカタチ!

ひとりではじめる

コンテンツ
ビジネス入門

山田稔 著

はじめに

この10年間でソーシャルメディアが普及し、誰でも気軽に情報発信することが可能な時代になりました。その情報発信によって自分の人生を劇的に変えることができます。

アメブロ、Twitter、Facebook、Instagram、YouTube、note…と発信するメディアは移り変わり、それに伴うビジネスモデルも、情報商材の販売、オンラインサロン、オンライン講座…と移り変わってきました。それぞれのメディアやビジネスモデルに専門家がいて、そのメディアやビジネスモデルで成功するためのノウハウを教えてくれます。

それはそれで悪いことではないのですが、見ていて凄くもったいない…。

だって、そういうビジネスモデルに取り組もうと思っている訳ですから、それなりに何かコンテンツがあるわけです。それなのに、ブログをやってファンを作ってから、オンラインサロンやオンライン講座を立ち上げて集客し、その実績をもって商業出版をしてブランディングする…って、遠回り過ぎると思いませんか？

コンテンツがあるのであれば、その1つのコンテンツを使ってブログも、オンラインサロンやオンライン講座も、商業出版も一気にやってしまえば、手間も一回で済みます。

本書では、そんなコンテンツビジネスの方法をご紹介しております。

このコンテンツビジネスは、それほどお金はかかりませんし、在庫を持つ必要もありません。それでいて利益率が高く、最終的には毎月の定期収入を確保することが可能で、絶対にＡＩが入り込めない市場です。しかも、やればやるほどストックされていき、どんどんビジネスが加速していきます。

こんな一石四鳥のおいしいビジネスはそうそうありません。

さあ、あなたも自分の中に眠るコンテンツを呼び起こして、このコンテンツビジネスに挑戦してください。きっと、あなたの人生を劇的に変えてくれるはずです。

コンテンツプロデューサー　山田　稔

Contents 目次

第2章 コンテンツビジネスで収益を出せる3つの理由

第3章 あなたの中に眠るコンテンツを呼び起こそう

第4章 オンライン講座の作成と戦略

第5章 商業出版でブランディングしよう

第6章 ブログやSNSを使ってファンを獲得する

第7章 永続的につながれるオンラインサロンをはじめよう

第1章

あなたの中に眠るコンテンツでビジネスを構築しよう

01 ひとりではじめるコンテンツビジネスとは

［そもそもコンテンツとは何か］

本書では、皆さんがコンテンツビジネスを展開する方法について解説をしていくわけですが、そもそも、「コンテンツビジネス」の「コンテンツ」とはなんなのでしょうか。

いきなり「コンテンツビジネス」といわれても、ざっくりとしかわからない、なんの話をしているかわからないという人も多いでしょう。ですから最初に「コンテンツ」とはなんなのか。ここから認識を一致させていきます。

一般的にいわれているコンテンツとは、次のようなものになります。

・コンテンツとは…
テキスト、写真、動画、音声などの素材を組み合わせて、創造的活動によって生み出されたもの。

具体的にいうと、音楽と映像を合わせた映画や、図解とテキストを合わせた資料などがコンテンツになります。これらは、今まで勉強してきたことや体験したことを元に、創造的活動によって生み出されたものです。これが「コンテンツ」と呼ばれるものの正体です。

それではコンテンツビジネスとはなんなのでしょうか。
先ほど、私はコンテンツのことを「今まで勉強してきたことや体験したことを元に、創造的活動によって生み出されたもの」といいました。
これを使ったビジネスがコンテンツビジネスです。つまり、勉強、体験、習得したことをノウハウとして体系化することで、ビジネスを展開することをコンテンツビジネスといいます。

・コンテンツビジネスとは…

勉強、体験、習得したことをノウハウとして体系化して、それを使ってビジネスを展開すること

これだけ聞くと、「なるほど。つまり自分の知識をコンテンツとして販売して、お金を稼ぐんだな」と考えると思います。それは間違いではありませんが、正解ともいえません。ただ知識をまとめて販売するだけでは、通常の情報商材やセミナービジネスと同じです。

私の考えるコンテンツビジネスは、ただ売って終わりの情報商材とは違います。あなたの持っているコンテンツを使って、ビジネスを最大限に拡大展開する仕組みです。

この仕組みを使えば、あなたは自分の中にあるコンテンツを最大限に利用できます。なぜなら、私の考えるコンテンツビジネスは、1つのコンテンツを「使い倒す」仕組みだからです。

【1つのコンテンツを使い倒してビジネス展開】

私の考えるコンテンツビジネスは、1つのコンテンツを使い倒すことが大きな特徴です。あなたの中に眠るコンテンツは、次の3つの順番で使用します。これらは全部、同じコンテンツを利用して作成します。

① オンライン講座でマネタイズ
② 商業出版でブランディング
③ ブログで集客

それぞれ見ていきましょう。

①オンライン講座でマネタイズ

まずは、あなたの中にあるノウハウを他人に教えるオンライン講座を作りましょう。具体的にノウハウを体系化して、見てくれている人に有益な情報を伝えます。

具体的には動画を使ったオンライン講座を作ります。動画で何かを教えるコンテンツを作成して、それを販売します。

「オンライン講座を作って、これを販売して儲ける……」というのは簡単だけど、そんな単純に儲かるもんじゃないよ」そう思った人も多いかもしれません。

確かに、売れると思ってオンライン講座をはじめても、全く売れずに赤字で撤退する人も少なくありません。

だからこそ、私はオンライン講座を売る仕組みを考えました。詳しい方法は後述するので、楽しみにしていてください。

②商業出版でブランディング

オンライン講座を成功させるために必要なことは「ブランディング」です。ブランディングとは、顧客からの信頼度を上げて、顧客にとっての価値を高めていく手法のことをいいます。

コンテンツビジネスにおけるブランドはあなた自身です。あなたというブランドの価値が高まり、信頼度が上がれば、強い売り込みをしなくてもオンライン講座は売れていくでしょう。

買って買って！　とお客さまにアピールしなくても、向こうからオンライン講座に申し込んでくれます。

その状態を作り出すためのブランディングにおすすめなのが、書籍の出版です。

書籍を出すことで、あなたの権威性は増し、「凄い人だ」と思ってもらえます。書籍を通じて、オンライン講座の存在を知り、申し込んでくれる人も少なくないでしょう。

書籍の内容は、すでにできています。あなたが作成したオンライン講座の内容から一部抜粋して、それを編集し、出版すればいいのです。

ここで、私のいう「コンテンツを使い倒す」の意味がわかったのではないでしょうか。同じコンテンツは、1つの方法でしか公開してはいけないというルールはありません。

オンライン講座の内容を書籍の形にして、商業出版してしまいましょう。

「でも、同じ内容のものを書籍で出してしまうと、オンライン講座の受講生が怒らない？」

と思う人もいるでしょう。その疑問は当然です。

ですから、書籍の内容はオンライン講座の概要のような内容にしてください。オンライン講座の価格は、数万円～数十万円であるのに対して、書籍の価格は1600円ほどです。書籍では、全体的な考え方や概論を説明し、オンライン講座では、より具体的で顧客の疑問に答える内容にするということです。

書籍で読んだ内容をもっと深く知りたい、実践したいという人はオンライン講座に申し込んでくれるでしょう。

③ブログで集客

動画を書籍にするだけで、コンテンツの再利用は終わりません。

せっかく書籍化のために原稿を作ったのですから、これも使い倒しましょう。

原稿を再利用して、ブログに投稿していきます。もちろん、書籍の内容をそのままブログに上げるのではなく、ブログ用にリライトして記事にしましょう。

書籍の文章をバラバラに小分けにして、記事を作ります。見出しやタイトルを整えて、検索で記事を見つけた人にも見やすい内容にしましょう。

コンテンツをブログで発信する理由は、顧客獲得のためです。

書籍やオンライン講座はお金を落としてくれた人にしか見てもらえませんが、ブログは検索エンジン経由でいろんな人が見てくれます。

ブログを使って無料で露出することで、見込み客をたくさん集めることができます。ブログを読んだ読者が書籍を読んでくれるかもしれませんし、その後、オンライン講座を購入してくれるかもしれません。ブログ単体では収益を生みませんが、ブログは「オンライン講座の集客」という大きな役割を担っています。

ブログでの集客の力は大きなものですが、集客のためだけにブログを書くのは大変です。しかし、ここでもコンテンツを使い倒せば、最小の労力でブログを作ることが可能です。

【利益のためだけではないコンテンツビジネス】

私の提唱するコンテンツビジネスは、ただ単に「オンライン講座を売る」というものではありません。

コンテンツを最大限に利用することで、さまざまなメリットがあります。特に次の3つの意味で、コンテンツビジネスは直接的な利益以上のメリットを生み出すことが少なくありません。

①顧客獲得

ブログやオンライン講座には、何かに悩んでいて解決したい人が集まります。つまり、その人の悩みを解決できるサービスに誘導することで、次のビジネスチャンスにつながります。

オンライン講座から、本業のビジネスに集客することも可能です。

あなたが個人事業主向けに「ひとりでできる節税」というオンライン講座を作っていたとしましょう。個人事業主にこのオンライン講座を買ってもらうのはもちろんですが、オンライン講座を見た後、実際のあなたの税理士事務所に顧問契約をお願いしてくるかもしれません。

ブログを使えば、これまでとは違った角度で顧客獲得ができることもあります。これを「直接的な顧客獲得と間接的な顧客獲得」と私は呼んでいます。

私は出版したい人のお手伝いをする仕事をしているので、「出版したい人へその方法を教えます」というのが直接的な顧客獲得になります。

出版したいと常日頃思っている人に対して「私に相談しませんか？」と問いかけることで顧客を獲得します。

間接的な顧客獲得は、まだニーズが顕在化していない顧客に対してのアプローチです。私の場合ですと、「ブランディング講座」を開いて、ブランディングをしたい人を集めます。ブランディングの手法を教える中で「出版がブランディングに最適ですよ」「出版しませんか？」と出版のお手伝いをするサービスにつなげます。

これまで出版に興味のなかった人や出版を考えたことがない人にも「なるほど、出版がブランディングにつながるのか」と思ってもらえるということですね。

これが、間接的な顧客獲得です。コンテンツを違う角度で使い倒すことで、それぞれの顧客に向けたアプローチができます。

②社内研修

実は、オンライン講座は販売する以外の方法でも利用されています。例えば、社内研修です。

会社に新人のスタッフが入ってきたとき、社内研修をする会社は多いでしょう。新入社員の人に教える内容は、毎回同じようなことなので、これをオンライン講座化しておけば、教育係のスタッフの手間が省けます。

コンテンツとして1回作ってしまえば、新入社員が入るたび、同じものを見てもらうだけでいいので非常に楽です。

もし、社外でも通用するようなノウハウを集められるなら、このオンライン講座を販売して利益を得ることもできます。そして、そのオンライン講座を見た人が入社してみたいと思ったなら、そこから採用につながるかもしれません。

③外注発掘

外注業者に仕事をお願いする際に、約束事や最低限欲しいクオリティを毎回説明するのは面倒です。

そこで、外注に必要なスキルをオンライン講座化してみましょう。例えば私の場合、ライターさんに文章を書いてもらうことが多いので、「フリーライター養成講座」というオンライン講座を作ってみると面白いと思いました。このオンライン講座でライターとしての腕を上げてもらえる上、受講者の中から優秀な人に実際に仕事をお願いすることも可能です。

オンライン講座の中では、先生と生徒というポジショニングが明確なので、実際に仕事に発展しても、お願いしやすい関係性が生まれるという利点もあります。

このように、外注獲得にもオンライン講座を活用できます。

02 ― あなたの中に眠るコンテンツがビジネスになる

【30年以上生きていれば、必ず何か素材がある】

「コンテンツビジネスっていわれても、自分にはオンライン講座や書籍にできるようなコンテンツはないんですが」と思っている人も多いでしょう。

しかし実際は、あなたの中に披露できる立派なコンテンツがあるのに、自分で見つけられていないだけである場合がほとんどです。

私が長年、出版のお手伝いをしてきた中で、こんな青年に出会いました。青年は「内容はなんでもいい。書籍を出版したい」と私を訪ねてきました。私が「書きたい内容はないの？」と聞いても「自分には何もない。でも書籍を書きたい」と答えました。

そこから、彼と4時間以上の時間をかけて、みっちり打ち合わせをしました。最初は、本人がいう通り、何もない子かと思いましたが、彼のやってきたことや彼の考え方をヒアリングしていくうちに、書籍の内容が見つかりました。このとき、私は思いました。人間、30年以上生きていれば、必ず何かしらの素材があるものだと。これまでの経験から、何かしらやっぱりあるもんだなと確信しました。

自分にはコンテンツにできるものは何もないと思っている人は、自分の人生の中で、次のような経験はなかったか考えてください。

- 人に認められるぐらい取り組んできたコト
- より楽に、より安くできるコト
- まわりに驚かれるコト
- 不愉快、不便、面倒を取り除けるコト
- 身近な問題で、まわりに求められるコト
- 今までありそうでなかったコト

こんな経験が、あなたのコンテンツになります。

仕事でも趣味でもなんでもいいです。人に認められるくらい、長く取り組んできたことはありませんか？　コンテンツを作る際にノウハウとか体系化できるものを……みたいに考えてしまうと、構えてしまうので、最初はもっと気軽に考えてみましょう。

必ずしも、仕事や輝かしい実績の中から見つけなければいけないわけではありません。例えば電車の切符をいかに安く買って旅行するかに熱意を傾けていた人や、仕事が嫌いすぎていかに作業効率を良くして楽に仕事を進めるかを必死で考えていた人、嫌いな面倒くさい上司をいかにコントロールするかに力を注いできた人……こんなことでもいいでしょう。

何かに1万時間を費やすと、その道のスペシャリストになれるといわれています。あなたがこれまで1万時間を費やしたことはありませんか？　たくさん書籍を読んできた、同じゲームをずっとやってきた、そんなことがあなたのコンテンツ作りのヒントになります。

ぜひ、自分の中にある素材を見つけだす作業をしてください。きっと、あなただけのコンテンツビジネスのテーマが見つかるはずです。

【あなたのコンテンツを必要としている人がいる】

自分が発信するテーマが決まったところで、「いやいや、でもこんなコンテンツ誰にも需要ないでしょ……」と落ち込む人もいるのではないでしょうか。

特に、ニッチなテーマであればあるほど、誰にも需要がない気がして、一歩が踏み出せない人も多いです。

しかし、その心配は基本的には無用です。広い世界の何処かには、あなたのコンテンツを必要としている人が必ずいます。ネットを使った発信、オンライン講座は世界中のどこにいても受講が可能です。

SNSの普及で情報を拡散できるようになりました。5Gが開始され、高画質な動画を簡単に視聴できる時代になり、動画でコンテンツを視聴するのは当たり前になりました。世の中の動きは確実にオンラインコンテンツを求める方向に動いています。

間口が広がれば広がるほど、個人のコンテンツなんて見向きもされないんじゃ……と心配する声もありそうですが、それは逆です。

需要が拡大すればするほど、ニーズも多様化します。ニッチなコンテンツが望まれるのです。「こんなことを求めている人なんて、いないだろう」と思うようなことが、意外と求められます。

今後、コンテンツビジネスの需要が大きくなると、プラットフォームもたくさん出てくることが予想できます。

これまでも、物販の需要が高まるにつれて、中古品販売に特化したメルカリが出てきたり、手作りに特化したミンネが出てきたりと、プラットフォームが細分化されてきました。コンテンツビジネスも同様に進化する可能性は高く、より市場が盛り上がることが予想されます。

プラットフォームを使いこなして、自分のコンテンツをより多くの人に届けることが、どんどん簡単になっていくでしょう。今後、あなたのコンテンツを必要とされる誰かに届けられる可能性はどんどん高まっていくのです。

【ノウハウをコンテンツ化するためには】

コンテンツを作るときに考えるべきことは次の3つです。

1. 何に悩んでいる人が、
2. どうなるために
3. 何をすればいいのか？

この3つを意識してコンテンツを作ることができれば、受講者は必ず満足してくれます。

まずはコンテンツを受講する人の悩みを考えてみましょう。そして、その人がどうなりたいのかを考えます。

ここまで考えられたら、そうなるためにやることを整理して教えてあげれば、コンテンツのできあがりです。

難しく考えなくても、過去の自分を思い出してコンテンツを作ればいいだけなので、実はそれほど難しくはありません。

過去の自分が今の自分になるためにやってきたことがあるはずです。何に悩んで、どうやってここまで来れたかを、段階的に教えてあげてください。実はこの「段階的」というのが1つのポイントです。

過去の自分と今の自分の間には大きな差（ギャップ）があります。あなたはこのギャップを、勉強や行動で埋めてきたはずです。その中で、1つずつやってきたことや考えたことを教えてあげてください。

ギャップは一気に解消することはできないものです。成長するためには順番があり、その順番を教えてあげることが重要です。「まずこれをやって、それをやって、こうやったらこうなれましたよ」という順番ですね。この順番が大事で、段階的に何をすればいいかということが明確になってくると、これがコンテンツの価値になります。

「悩んでる人がどうなるために何をすればいいのか」これが明確になっていれば、コンテンツは購入されます。自分のコンテンツの場合はどうなのか、考えてみてください。

03 ― あなたらしさが価値になる時代

[SNSの普及で自分らしさが価値になった]

自分の中にあるコンテンツに自信が持てないという人も少なくないでしょう。コンテンツ自体には自信があったとしても「でも、同じようなことを教えている人がもう既にいるしな……」と考える人もいるはずです。ここでは、あなたのコンテンツが唯一無二のものである理由をお話しします。あなたのコンテンツが唯一無二のコンテンツである理由は「あなたらしさ」にあります。

ＳＮＳがインフラになった現代は、自分らしさが価値になる時代です。コンテンツに自分らしさという価値を乗せることで、あなたのコンテンツは唯一無二の存在になります。

ツイッターやFacebookなどのＳＮＳが普及したことにより、アカウントを取得すれば、誰でも簡単に情報発信できる時代がきました。

その結果、一見同じように見える商品でも「どんな人から買うのか」「どういう経験をした人から買うのか」ということに価値を感じるようになりました。つまり、コンテンツビジネスを行う側からすると、ＳＮＳを利用したブランディングは必須ということになります。

ＳＮＳで有益な情報を発信することで、ファンを増やしましょう。あなた自身のファンになってもらうことが、コンテンツの価値になっていきます。

「芸能人でもないのに、そんなの無理だよ」という人もいますが、本当にそうでしょうか。インフルエンサーと呼ばれる人の多くは、ＳＮＳだけで有名になれています。ＳＮＳを活用してしっかりと情報発信し続けることによって、ブランディングして有名になった人が実際にたくさんいます。成功例があるのですから、あなたにチャンスがないなんてことは、ありえないのです。

実際に、ＳＮＳでどんな投稿をしたらファンを作れるのかを考えてみましょう。キーワードは「自分らしさ」です。

ＳＮＳには、規約以外の制約はありません。こういう投稿をしなければならないとか、いいね！をいっぱいもらわなければならないなどといった決まりはないのです。

だから、自由に情報発信をしましょう。自分と似たようなジャンルで情報発信する人がいたとしても、あなたとは別人です。プロフィール写真の見せ方から、文章の書き方まで一緒なはずがありません。投稿の言葉尻に力強さを感じさせる書き方もあるだろうし、優しさを感じさせる書き方もあるでしょう。そういうひとつひとつが差別化につながっていきます。

自分らしく情報発信をしましょう。

【凄いだけの人は近寄りがたい】

自分らしさにもつながるのですが、ＳＮＳで人気者になる秘訣は「長所で尊敬されて、短所で愛される」ことです。

いい情報やためになる情報ばかり投稿している人のアカウントは学びが多くてフォロワーが増えますが、人間的に隙がなくちょっと近寄りがたくなってしまう傾向にあります。

もちろん、有益な情報を発信して尊敬されるのは大事なことですが、発信の中に少しだけ短所を織り交ぜることで、親近感を持ってもらえ、愛されるようになります。

ちょっとした失敗談やドジな話を少しだけ混ぜてみてください。「財布忘れてきちゃった」のような些細なことで構いません。こういった自己開示をすることで人間味が出て、「この人、いつも凄いのに、こんな失敗もするんだな」と思ってもらえます。尊敬する人の人間味を見てしまうと、急に身近に感じて余計好きになってしまうというのがフォロワーの心理です。長所で尊敬され短所で愛されるというのは、このSNS時代ですごく重要な要素だと思います。

ついつい、有益で学びが多いツイートだけをしたい、かっこいい自分を見せたいと身構えてしまいがちですが、こういった要素を盛り込んだ方がよいということを覚えておきましょう。

【何だってとことん突き詰めれば「強み」となる】

コンテンツは、「そこに需要があるか」という視点も大事なのですが、何より自分の好きなテーマにするべきです。自分が好きなことだからこそ、どんどん突き詰めることができますし、どんどん突き詰めた結果、最終的にはそれが強みとなります。

好きなことは自然と熱がこもります。よくブログやSNSで発信しても読まれないという人がいます。その理由は熱がないからだと私は考えます。逆にどういうブログが読まれているかを考えるとわかりやすいですが、面白いブログというのはやはり熱量が高いです。そのコンテンツに対する想いであったり、パワーややる気であったり…そういう熱量が高い方が、読んでいて面白いというのは、誰もが感じたことがあると思います。

書き手のそういった熱量は読み手にも伝わります。

発信者が、内心「気分が乗らないなぁ」と思いながら情報発信していると、どうしても熱量が下がっていきます。好きなことで、熱量が高い情報発信をしていきましょう。

また、情報発信は早いもの勝ちという面があります。なんだって第一人者は強いです。先行者利益というやつですね。後から参入して地位を獲得するためには、差別化が必須です。

前述したように、人柄やキャラクターで差別化することもできますが、切り口を変えるという方法もあります。

切り口を変える方法はいくつかありますが、わかりやすいのは「ターゲットを変えてみる」という方法です。

既に同じテーマで発信している人が起業家に向けて発信しているなら、あなたは主婦向けや会社員に向けて発信してみるなどターゲットを変えることによって、同じテーマのコンテンツでも差別化できます。これが切り口を変えるということです。

切り口が違えば、ライバルがたくさんいる中にもスルッと入っていくことができます。むしろ、先行者を追い抜くことも可能です。

具体例として、本業のかたわらで観光列車評論家として活動している私の経験から話します。ご存知のように、鉄道マニアはこの日本中に星の数ほど存在します。鉄道関連の情報発信をしてる人もたくさんいる中、私も鉄道に関する情報発信をはじめました。

もちろん、参入した当初からライバルは無数にいました。そこで私は、鉄道の中でも「観光列車」というジャンルに絞って情報発信をしていくことにしたのです。そもそも私は鉄道マニアではありません。そんな私が鉄道マニアの面々に勝つには、観光列車という切り口に絞るしかありませんでした。その結果、この分野ではある程度有名になれましたし、ラジオにも出ましたし、テレビにも出演しました。ムック本になりますが、書籍も4冊ほど出すことができました。

これらは全て、私が切り口を作って発信したから実現したことです。普通に鉄道マニアに肩を並べて情報発信していたなら、たくさんの鉄道マニアに埋もれてしまっていたことでしょう。ありきたりなテーマに思えても、切り口ひとつで成果は変わるというよい例だと思います。

そして、ブランディングは徹底すること、続けることが大事です。

発信内容をコロコロ変えてると、まわりから「あの人何なんだろう」と思われてしまいます。一貫してずっと繰り返すことによって、見る人に「このテーマといえばあなた」という印象を自然に刷り込んでいきます。そして、この刷り込みができてはじめて、ブランドは確立します。

切り口を絞って好きなことを情報発信し、それを継続してブランディングをしていく。この流れで、あなたが唯一無二の存在になっていきます。

【あなたから学びたいと言わせられるか】

あなたのコンテンツを選んでもらうために、もうひとつ大事な要素があります。それは、あなたから学びたいと思ってもらうことです。

何かを学ぶなら、その道の専門家から学びたいのは当然です。そのために必要なことは、資格や経歴の取得ではありません。もちろん、あるに越したことはありませんが、同じような資格や経歴を持つ人が、他に現れるかもしれません。

専門家として見てもらうためには、オンリーワンやナンバーワンの存在になる必要があります。

ナンバーワンは難しくても、オンリーワンになることは可能です。というか、オンリーワンの存在になれば、あなたしかいないカテゴリで常にナンバーワンの存在になれます。

前述した私の観光列車評論家の例も、これに該当します。

私は観光列車評論家という専門家としてメディアに取り上げられました。もちろん、自然にそうなったわけではありません。私がそのように自分自身をブランディングしたから、専門家として世間から扱われるようになり、観光列車のことなら山田から訊きたいと思ってもらえるようになったのです。

繰り返しになりますが、私は鉄道マニアではありません。

元々鉄道マニアは母数が多い上、筋金入りの鉄道マニアの中には、幼少期から人生の大半を鉄道に費やしている強者がたくさんいて、鉄道の専門家とか鉄道ジャーナリストとかいう人達も無数にいます。

その中で、私がやったのは自分だけの「観光列車評論家」という肩書きを作り出し、オンリーワンの存在として情報発信したことです。

ここで大事なのは、ただオンリーワンの存在になるだけではまだ甘いというところです。オンリーワンの存在になったのち、専門家としてブランディングしていく必要があります。

専門家としてブランディングするためには、商業出版が一番です。自分でオンリーワンの土壌を作って○○評論家と名乗ったとしても、「ただ自分でいっているだけでしょう?」

と思われて終わりということもあります。

例えば、私が勝手に「観光列車評論家です」と名乗っていても「そんなのあるの？　勝手に名乗っているだけでしょ？」と多くの人が思うでしょう。しかし、私はこの肩書きでテレビやラジオに出演し、出版もしています。

こうなると、急に「ちゃんとした評論家なんだな」と思ってもらえるようになります。

ラジオやテレビもいいと思いますが、私は専門家としてのブランディングは商業出版からはじめることをおすすめします。

理由はいくつかありますが、まずはコンテンツを使いまわせるからというところが大前提です。オンライン講座をそのまま書籍の原稿に流用できることは既にお話ししました。

もう1つは書籍の持つ権威性です。出版をしたことがあるというと、途端に凄い人だ、この人は専門家だとまわりが思ってくれます。

このときに注意して欲しいのは、ブランディングのために出版するなら商業出版でなければいけないというところです。自費出版には、全くブランディングの価値がないと思ってもらって構いません。

商業出版は、出版社の人間が「このコンテンツは書籍にする価値がある」と思ったという証です。この認定は、第三者からのコンテンツの価値の認定になります。自費出版は、お金さえ払えば誰でも出版できるわけですから、第三者からの認定になりません。

自費出版にはブランディングの効果がないというのは、こういった理由からになります。

「そうはいっても、簡単に商業出版なんてできるわけないじゃない」と思ったかもしれません。いえ、実は出版はそんなに難しいことではないのです。

この辺りのことは、長年出版の世界で生きてきて、数百人の著者をデビューさせて、数百冊の書籍を出版してきた私の専門分野です。

あなたのコンテンツを書籍化する方法については、第5章で詳しく解説します。

あなたから学びたいと思わせるために大事なことをいくつかお話ししてきましたが、最後に伝えたいのは、結局は人間性が大事だということです。書籍のような文字情報だけで学ぶ時代は、コンテンツ力が何より大事でしたが、今は動画やＳＮＳの時代です。これらで学ぼうとしたとき、人は人間性を重視するようになります。

特に動画講座では、話し方や振る舞いが情報として入ってきます。どんなに書籍やブログで取り繕っていても実際の声や話し方が入ってきたときに「あ、この人ちょっと違うな」とか「この人ちょっと合わないな」とか感じてしまうことがあれば、その先にはつながりません。

こういったミスマッチを起こさないためには、人間性を高めるのも大事ですが、あまり無理して取り繕わないことも大事です。

文字情報では、いくらでもかっこつけられます。よく見せようとして、自分を出さずに無理してしまうと、実際にオンライン講座やオフラインで接点ができたときに、悪い方向にギャップを感じさせてしまうことがあります。

間違った見せ方でどんどんファンが増えてしまうと、ずっとそれを演じ続けなければいけません。自分らしさは大事です。自分らしく発信する中で、あなたの人間性に共感してくれるお客さまに見つけてもらえればいいと思います。

04 ― 理想的なコンテンツビジネスのビジネスモデル

【コンテンツビジネスの全体像】

自分の中にコンテンツがあるのはわかった。そのコンテンツを使い倒すことでビジネスになるのもわかった。「でも、まだまだピンときていない」そんな人も多いと思います。
そこで本節では、本書で推奨するコンテンツビジネスの全体像を紹介していきます。

コンテンツビジネスのビジネスモデルの全体像は44ページの図のようになります。少しややこしいかもしれませんが、この図をしっかり頭に入れてその先の説明を読んで欲しいと思います。

● コンテンツビジネスの全体像

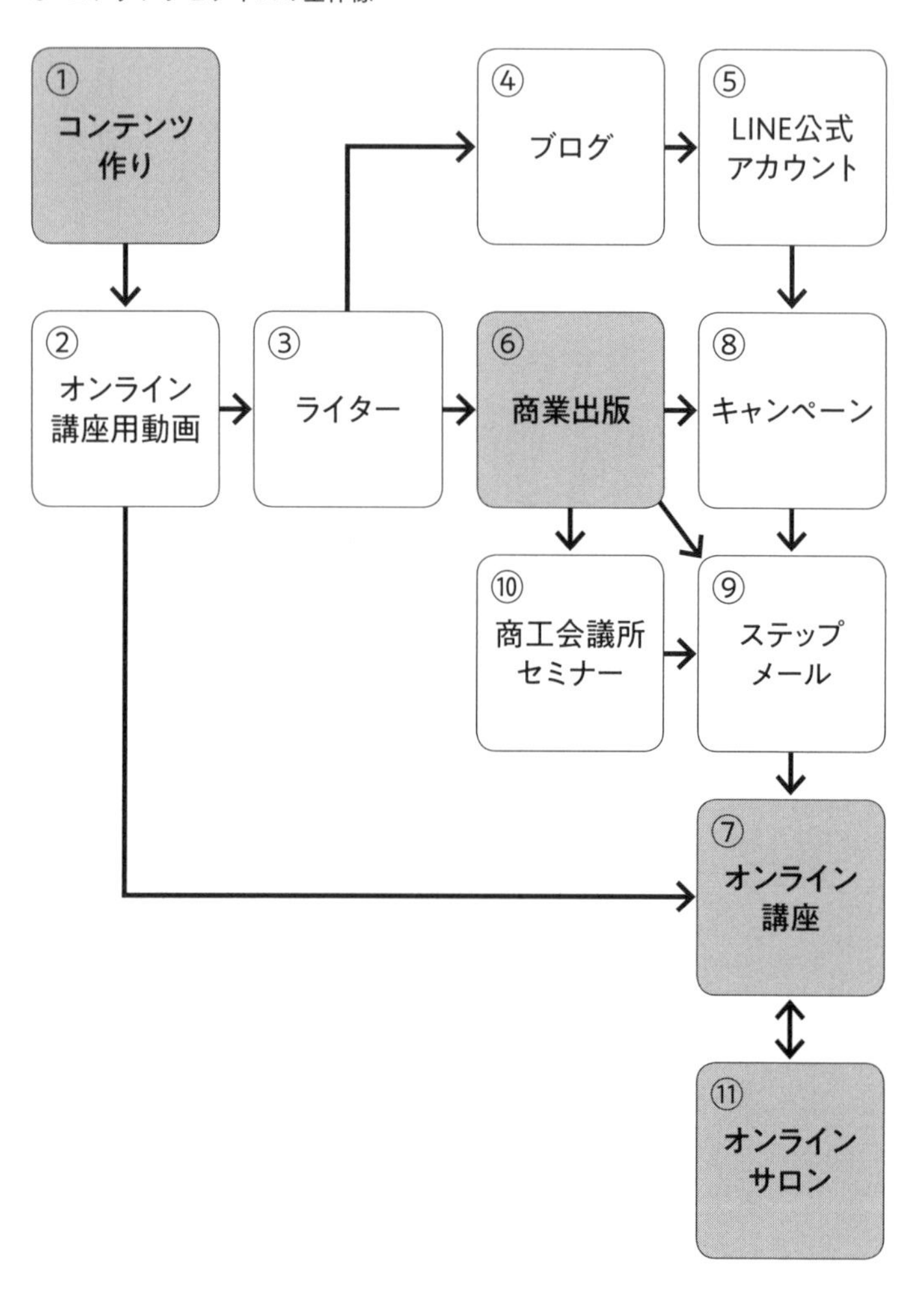

①コンテンツ作り

コンテンツビジネスの商材であるコンテンツ作成が、最初にやることです。自分の中にある知識や経験を棚卸しして、販売できるコンテンツを見つけ出しましょう。具体的なコンテンツの制作については、3章以降で解説します。

②オンライン講座用動画作成

①を元に動画を作ります。この動画が、オンライン講座のメイン教材になります。最終的に購入してもらうオンライン講座の核になる部分ですので、しっかり作り上げましょう。

③ライターに動画とスライドを渡す

②で作成した動画を外部ライターに渡し、ブログ用と商業出版用の2種類の文章を作成してもらいます。外部ライターに依頼すると費用が発生するので、自分でやりたいという人もいるかもしれませんが、基本的にはライターに任せることをおすすめします。文章を書く作業はとても大変なので、自分でやってしまうと他のことが疎かになってしまうからです。費用などの詳しい話は後述します。

④ブログで集客する

書籍やコンテンツを購入してくれる人を集客するためにブログを開設します。ライターに記事を作成してもらったら、それをブログに投稿して、たくさんの人に読んでもらいましょう。ブログ記事を読んでくれる人は最終的にコンテンツを購入してくれる見込み客です。検索エンジン経由でブログにアクセスしてもらうだけでなく、Twitterで拡散することによって、さらにアクセスを集めていきます。ブログについては6章で詳しく解説します。

⑤LINE公式アカウントに登録してもらう

ブログを読んで、記事を面白いと思ってくれた人は、あなたのコンテンツや書籍にも興味を持ってくれるはずです。宣伝のためにＬＩＮＥ公式アカウントを作り、これに登録してもらいましょう。ＬＩＮＥ公式アカウントについては、6章で詳しく解説します。

⑥商業出版する

ライターに書いてもらった原稿を使って、書籍を出版します。出版の具体的な方法は5

章で詳しく解説します。

⑦オンライン講座を作成する

ライターに原稿を買いてもらっている間に、あなたはオンライン講座のサイトを作ります。書籍が出版される前にオンライン講座は完成していなければいけません。

オンライン講座のメインコンテンツは②で作成した動画です。WordPressなどで課金しないと入室できないパスワードつきのサイトを作り、動画を貼りつけて、会員専用サイトを作りましょう。

⑧キャンペーン

出版した書籍は、著者自らの努力で売ります。ブログやSNS、LINE公式アカウントで宣伝し、販促キャンペーンを行いましょう。

書籍のキャンペーンへの申し込みの際に、名前とメールアドレスを入力してもらうことで、読者のメールアドレスが集まります。

⑨ステップメール

キャンペーンで手に入れたメールアドレスにステップメールを配信します。ステップメールの最終的な着地点は、オンライン講座のセールスです。しかし、いきなりオンライン講座を紹介してもなかなか買ってもらえません。

ステップメールで、このオンライン講座の魅力を伝え、「あなたにとってこんなにメリットがある講座ですよ」と教育していきましょう。そして最後のメールでオンライン講座のセールスを行います。ステップメールで教育された人たちはオンライン講座を購入してくれるでしょう。

⑩商工会議所セミナー

出版した書籍を、全国の商工会議所などに献本すると、その書籍を見たセミナー担当者が、講師に呼んでくれることがあります。

商工会議所のセミナーに講師として呼んでもらうと、講師料をいただけます。全国の商工会議所に献本するには費用がかかりますが、2〜3件セミナーができればその費用は回収できるでしょう。

何より、全国でセミナーができるのは大きなメリットです。商工会議所のセミナーの参加者の多くは中小企業の社長さんです。次のビジネスにつながる人脈を作ることができます。

⑪オンラインサロン

オンライン講座の受講が終わったらそのまま卒業して終わり……となってしまうのは、あまりにもったいないことです。

受講生とのつながりを切らさないために、オンラインサロンを作成し、オンライン講座の最後にオンラインサロンの案内をしましょう。オンラインサロンでは、参加者に月額で会費を払ってもらって、オンラインサロンオーナー（あなた）と参加者で、より密な交流を行います。

オンライン講座では一方的な教育でしたが、オンラインサロンでは双方に意見交換ができるので、よりファン度が高い人と濃い関係を作ることが可能です。

次に新しくオンライン講座を立ち上げるときは、オンラインサロンの参加者にどんな内容にすべきかリサーチをかけてみます。オンラインサロンの参加者は、次のオンライン講座は割引で受講できるなどの特典をつけるのがおすすめです。

オンライン講座は一度受講すれば終わりですが、オンラインサロンは月額会費でずっと続きます。

最終的には、オンラインサロンの人数をどこまで増やしていけるかというのが、安定した収益を生むかどうかの分かれ目になるでしょう。

【1つのコンテンツを1年サイクルで回すのが理想的】

本書で解説しているコンテンツビジネスは、1年サイクルで回すのが理想的です。つまり、1つのコンテンツを生み出して1年かけてそれを使い倒し、翌年にまた新しいコンテンツを作り、それをまた1年かけて回していく……という流れです。

ずっと同じコンテンツを使い続けていると先細りするので、常に新しい切り口でコンテンツを作成していきましょう。

1年が難しければ、2年でもいいでしょう。ただし1年以内にコンテンツを次々に出していくのはおすすめしません。コンテンツの質が下がるので、1年かけてじっくり次の準備をするようにしてください。

それでは、1つのコンテンツをどのようなスケジュール感で回していくのかを具体的に見ていきましょう。サイクルを図化したものが、下の図です。

①オンライン講座の内容を決定する【1ヶ月】

1ヶ月ぐらいかけて、じっくりオンライン講座の内容を考えて決定します。

初回は自分だけで考えなければいけないので悩むことも多いと思いますが、2回目以降はオンラインサロンの参加者にリサーチをかけたり、相談したりして決めることができる

● 1年サイクルが理想的

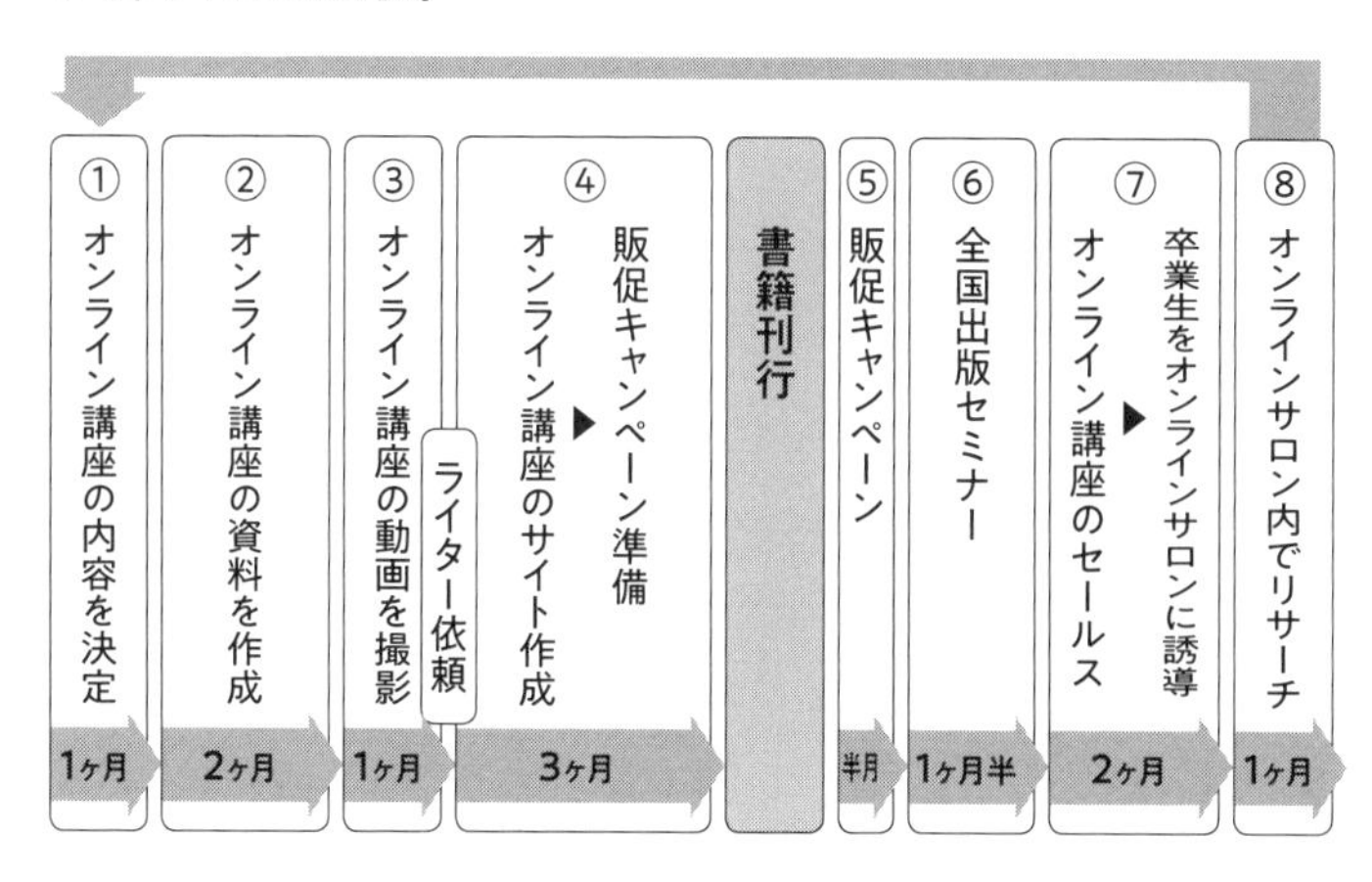

のでスムーズに進むでしょう。

②オンライン講座の資料を作成【2ヶ月】

オンライン講座の資料を作成します。具体的にはスライドです。オンライン講座は、このスライドに音声をつけたものになるので、どれだけ資料をしっかり作り込めるかが、オンライン講座の質を上げる鍵になります。資料の枚数に決まりはありませんが、大体動画にしたときに2時間分くらいになるくらいの枚数が理想的です。

③オンライン講座の動画を撮影【1ヶ月】

できあがった資料を使って、オンライン講座用の動画を作成します。撮影は大体1ヶ月間もあれば終わるでしょう。動画が完成したら、資料と一緒にライターに渡します。

④オンライン講座のサイト作成&販促キャンペーン準備【3ヶ月】

ライターが原稿を書き終わるまでには、大体2ヶ月ぐらいの時間がかかります。その後、出版社とのやり取りで1か月ぐらいかかることを考えると、書籍が出版されるのは、ライターに動画を渡してから3〜4ヶ月後くらいのイメージです。

この3ヶ月の間に、オンライン講座を仕上げます。書籍を読んだ読者がオンライン講座を受講したいと思ってくれたときに受講する場所がなかったら意味がないので、書籍の発売までに絶対に完成させましょう。

また、書籍が出た後の販促キャンペーンの準備も忘れてはいけません。どういうキャンペーンをするのか、どういう特典を配るのかなどをしっかりと考えて準備をしてください。

⑤販促キャンペーン【半月】

書籍が刊行されたら、販促キャンペーンの開始です。書籍は初動が大事なので、キャンペーンは発売日から2週間以内に行います。それ以降になると、売れない書籍は書店で返本されてしまいます。

⑥全国出版セミナー【1ヶ月半】

主要都市だけでいいので、一ヶ月半くらいかけて日本中を回ってセミナーを行い、書籍の認知度を上げましょう。ステップメールに登録してくれた人に「あなたの街に行きますよ」と告知をすると、いろんな人が会いに来てくれるはずです。

⑦オンライン講座のセールス&卒業生をオンラインサロンへ誘導【2ヶ月】

ここで、メインのオンライン講座へセールスをかけます。オンライン講座に入ってくれた受講生には、卒業する前にアンケートに答えてもらい、オンラインサロンへ誘導しましょう。

⑧オンラインサロン内でリサーチ【1ヶ月】

オンラインサロンで、次のオンライン講座のリサーチを行います。「次はどんなオンライン講座だったら受けてみたいですか?」とオンラインサロンの参加者に投げかけてみましょう。これに大体1ヶ月ぐらいの時間をかけます。ああでもないこうでもないと考えながら、1ヶ月ぐらいやっていると、よいアイデアが生まれてきます。

以上が、コンテンツビジネスのサイクルになります。最初の1年は忙しいと思いますが、2年目以降はどんどんコツを掴んで時間に余裕ができてくるでしょう。

第2章

コンテンツビジネスで収益を出せる3つの理由

01 ― 自分のコンテンツをオンライン講座で収益化

ここまでの内容で、コンテンツビジネスの仕組みの大枠は理解していただけたと思います。次は、実際の収益を考えてみましょう。また、収益だけでなく出ていくお金のことも考えます。そうすることで、このビジネスモデル全体のお金の動きをイメージできます。

[収益のメインをオンライン講座にする理由]

本書で提唱しているコンテンツビジネスのメイン収益はオンライン講座です。動画で何かを教えるならセミナーDVDの販売でもいいように思うかもしれませんが、オンライン講座にするべきだと私は考えます。

セミナーDVDの販売では、「物販」の要素が強くなってしまうので、受講生との関係性が作れないというデメリットがあるからです。

オンライン講座は、モノではなく成果にコミットしたノウハウを売るサービス業の一種です。つまり、受講生と「先生と生徒」という関係性を作ることができます。受講者が成果を得たときに感謝の気持ちを抱いてくれる点が、セミナーＤＶＤの販売と大きく違うところです。

さらに、オンライン講座には、受講生が好きなタイミングで学習をはじめられるというメリットもあります。このメリットはあなたのメリットでもあります。ビジネス塾のようなリアルな講座の場合、「〇期生募集！」のように期間を区切った集客をしなければいけませんが、オンライン講座はいつからでもはじめられるので、集客に追われることがありません。

また、オンラインなので一度講座を作ってしまえば、ランニングコストもほとんどかかりません。

書籍やブログを経由してオンライン講座を知ってくれた人が、好きなタイミングで申し込んでくれて、勝手にオンライン講座で学習してくれます。つまり、一度作ってしまえば、オンライン講座は自動販売機のように勝手に収益を作ってくれるのです。

リアルな講座を行った経験がある人はわかると思うのですが、基本的に講師が話す内容は何度やっても同じです。受講生は変わるけれど、講師が教える内容は同じなわけですから、何度も何度も同じ内容を繰り返し話すことになります。

つまり、同じことを話すなら動画でもいい訳です。そこを動画に任せることで、あなたは自分にしかできない受講者ひとりひとりに寄り添ったサポート業務などに集中することができます。

これは結果的に、顧客の満足度につながるでしょう。

【オンライン講座を起点に逆算して考える】

コンテンツビジネスの最大のキャッシュポイントはオンライン講座です。オンライン講座の料金を設定して、集客見込みを考えて、売上予測を考えてみましょう。

このオンライン講座の収益の予測がたてば、そこから逆算して、全ての予算を考えることができます。

自分のオンライン講座の料金は、大体いくらくらいが妥当なのか、それで何人くらい集客できそうなのか、これを考えることでだいたいたいの売り上げの予想がつきます。

例えば、30万円のオンライン講座に40人集めることができると予想したなら、１２００万の売り上げになります。

売上予測ができたら、その中で宣伝広告費に使える金額を試算します。売り上げの中から、自分が取る収益を抜いて、残った金額を宣伝広告費に当てましょう。

宣伝広告費をゼロにすれば全て自分のお金になると考える人もいるかもしれませんが、宣伝広告費には、ある程度予算をかけるようにしてください。

ブログの記事だけの集客では、最初は少しずつしか集まりません。書籍が発売されてすぐの時期などは、Facebook広告などのウェブ広告を使った宣伝広告を使うことで、盛り上がりを作ることができ、さらに書籍を売ることが可能です。そして、そこから更にオンライン講座に申し込みが入ります。

この時期の投資が後の集客につながるので、宣伝広告費は非常に重要です。

ネット広告だけでなく、本屋に行って書籍を買い取って書店の週間売れ行きランキングにランクインさせるという手もありますが、それにもお金がかかります。

広告宣伝費の枠を想定しておくことで、さまざまな打ち手を考えることができます。

02 オンライン講座から逆算して商業出版を実現

【商業出版を確実に実現するためには】

コンテンツビジネスの2つ目のキャッシュポイントは商業出版です。

出版すると印税がもらえるので、書籍が売れるたびに収益になります。

ただし、印税のために書籍を出版するわけではありません。出版の最大のメリットはブランディングと宣伝効果にあります。

あなたの書籍が書店に並ぶことで、「書籍を出した凄い人」と思ってもらえ、さらに書籍の読者の中からオンライン講座に入会してくれるはずです。

つまり、出版は印税をもらいながら、同時に宣伝ができるツールなのです。

「でも、出版は難しいでしょう?」と思われるかもしれませんが、実はそんなことはありません。

長年出版業界に携わっている私が思う、商業出版を実現するために必要なことは、「面白い企画を立てる企画力」と「著者として書籍を売る販売力」です。

要は、出版社に「この書籍は売れる」と思ってもらえたら出版は決まります。このあたりのことは私の専門分野で、具体的な手法を後述するので、楽しみにしていてください。

【オンライン講座に集客するための書籍を作ろう】

書籍の内容に共感した読者は、オンライン講座のお客さまになってくれます。書籍は、しっかりと集客に使えるような内容にしなければいけません。

書籍では、著者の考え方や人柄を知ってもらい、これに共感した人のみが、見込み客になります。

共感してくれた読者は、ある程度著者に対する敬意というのを持ってくれていて、あなたのオンライン講座の優良な顧客です。商業出版には、このような優良顧客を獲得するという側面もあります。

お金を出して書籍を買ってくれた上に、自分の考え方に共感してくれる。つまり顧客をお金をもらって教育しているようなものです。これは商業出版のみの強みでしょう。

そして、商業出版では瞬間風速的に売れる書籍よりも、長期で売れる書籍を目指しましょう。具体的には、検索で見つかるキーワードをタイトルに使用した実用書が狙い目です。

こういう書籍は顕在的なニーズがありますし、そのジャンルの中で定番書になるような書籍を作れば、ずっと書店に置かれます。長く書店に置かれて、継続的に売れ続けたら、その間ずっとオンライン講座に集客できるということです。

【集客につなげようと勘違いしてはいけないこと】

書籍を集客につなげようという気持ちが強すぎて、勘違いをしてしまう人がいます。

多いのは書籍にノウハウの肝心なところを書かずに、「続きはWｅｂで」といってネットへ誘導することが書籍からの集客手法と思ってしまうというものです。

個人的には、これはこの上ない悪手だと思っています。これは、せっかく書籍を買ってくれた人への裏切り行為であり、これをやるとあなたの信用は一瞬でなくなってしまいます。一過性の集客はできるかもしれませんが、長期に渡った集客は難しいですし、ブランディングとしては最悪です。書籍を使ったバックエンド販売は、読者と信頼関係を築くことが重要ということを覚えておいてください。

書籍は長い時間をかけて売る商材です。短期集中で一気に顧客を刈り取るという考え方は書籍に向いていません。書店にとっても、一気に需要が集中した後、全く売れなくなる書籍よりも、コツコツ時間をかけて売れる書籍の方が嬉しいものです。せっかく商業出版をするのだから、長い時間書店に置いてもらえるような書籍を作って、それに見合った宣伝をするように心がけましょう。

書籍には、オンライン講座への誘導などの直接的な広告は掲載できません。だからこそ、コンテンツへの誘導は賢い方法を考えなければいけないということです。

【書いてもらった原稿は段階的に活用する】

出版するためにライターに書いてもらった原稿は、とことん使い倒します。

原稿をブログ記事に流用することはすでにお話ししましたが、ブログ記事をさらに細分化してTwitterの投稿にします。

こうすることによって、検索エンジンからの集客だけでなく、SNSからの集客やブランディングが可能になります。

ブログやTwitterの記事では、検索されるキーワードを意識します。コンテンツを探している人は、どんな悩みを持ったキーワードで検索しているのかを考えて、原稿の中から文章を抽出してブログ記事にしてみましょう。

03 オンラインサロンで継続的に関係性を構築

【オンラインサロンを用意しておく理由】

オンライン講座の受講が終わったら、受講生をオンラインサロンに誘導するという話はすでにしましたが、その理由についてもう少し詳しく解説しておきます。

オンラインサロンを推奨する理由は次の3つです。

①オンライン講座だけだと集客し続けることになる

オンライン講座はフロービジネスです。オンライン講座で収益を上げ続けるためには、常に新規の顧客を集客し続ける必要があります。

対して、月額課金でお客さまをストックしていく仕組みであるオンラインサロンは、ストックビジネスです。オンラインサロンを運営することで、毎月安定した収益を見込めるので、集客に追われ、売り上げの心配をする日々から脱出できるでしょう。

②コンテンツのファンはいつか飽きてしまう

オンライン講座はコンテンツのファンです。何かに悩みがあったり、解決したいことがあったりする人が、オンライン講座に申し込んでくれます。

しかし、コンテンツを求めている人は、必ずどこかでコンテンツに飽きてしまいます。お客さまをずっと自分のところにつなぎ止めるためには、コンテンツのファンから自分のファンにつなぎ直さなくてはいけません。オンライン講座の中で自分の人間性をより知ってもらうことで、最初はコンテンツきっかけで受講してもらったけれども、最終的には自分のファンになって卒業してもらうというのが理想です。

そして、オンラインサロンに入会してもらえれば、そこから先長いおつき合いができるようになります。

③気持ちに余裕ができれば、もっと魅力的になれる

オンラインサロンのようなストックビジネスでお金が稼げる仕組みを作っておくと、売上に対してガツガツする必要がなくなります。集客のプレッシャーから解放されると、気持ち的に余裕ができます。余裕ができると、お客さまに対して大きな気持ちで接すること

ができるので、より魅力的に見られるようになります。人としての魅力が増せば、オンラインサロンの集客に多いに役立つはずです。

【オンライサロンで永続的な関係を構築】

オンラインサロンの参加者とは、永続的な関係性を築いていくのが理想的です。

一度お金を払ってくれた人は、リピートしやすいという性質があります。最初はお金を支払うことに懐疑的で、疑り深い人でも、一度払ってしまうとハードルがぐっと下がります。1回目より2回目、2回目より3回目の方がお金を出してもらいやすくなるのです。

新規より、リピーターを集客する方が顧客獲得単価は安くなるのですから、オンライン講座の卒業後にお客さまを流出させるのは非常にもったいないと思います。

オンラインサロンに参加してもらうことによって、いつまでもその関係性を持続できるような環境を作るようにしましょう。

オンラインサロンでは、月に1回ぐらい実際に会えるようなイベントを企画するとよいでしょう。実際に会うことで親近感が芽生え、お客さまがファン化していきます。また、次の新しいオンライン講座を立ち上げるときも、最初にオンラインサロンで告知すれば、リピーターになってもらいやすくなります。

新型コロナウイルスのような状況下において、仕事に対する価値観は大きく変わりました。ガツガツ売上を求めるよりも、生涯つき合えるようないい仲間たちと気持ちよく仕事をし続けたいというような価値観が広まっている気がします。気の合うメンバーで継続的にビジネスを展開していきながら、お互いに成長していく方が、ビジネスとしても面白いのではないでしょうか。

オンラインサロンを育てることで、いい仲間達が集まり、素晴らしい仕事環境になります。同じメンバーと継続的にビジネスを展開し、互いに成長できるビジネスは面白いです。ぜひ、あなたのオンラインサロンを立ち上げてください。

【オンラインサロンを中心としたストック化】

本節では、ストック収入としてのオンラインサロンの話をしてきましたが、コンテンツビジネスの中でストック資産になるのはオンラインサロンだけではありません。集客のために作ったブログも、ストックメディアになります。

最初のオンライン講座と書籍の原稿ができたときは、一講座分の記事がアップされてるブログができあがります。2つ目、3つ目のオンライン講座を作ったときも、記事を同じブログに投稿すると、記事がストックされ、ブログはどんどん大きく育っていきます。

違うオンライン講座の記事を読みたくてアクセスしてきた人が、「こんなオンライン講座もあるんだ」と別のオンライン講座に興味を持ってくれることもあるでしょう。

オンライン講座が増えるほど、ブログはストックメディアとして、安定的な集客の仕組みになっていくはずです。書籍も複数出版すれば、ある意味ストックメディアといえます。書店の中でストックされていく資産といえるからです。

書籍やブログをストックメディアにするためにも、オンライン講座は瞬間的に人気の出るような講座ではなく、自動販売機的にずっと集客し続けられるようなテーマで作るようにしてください。

そして、1年~2年の周期で複数作っていくのが望ましいです。オンライン講座は、オンラインサロンへの流入口なわけですから、オンライン講座を複数展開することによって流入口がストックされていくということです。

オンラインサロンの参加者は、新しいオンライン講座のアイデアも出してくれますし、新しいオンライン講座にも入ってくれるでしょう。

どんどん人が入って、コンテンツビジネスの商圏内でぐるぐる回し、ビジネスがどんどん加速するのをイメージしてください。

● 究極のストックビジネスモデル

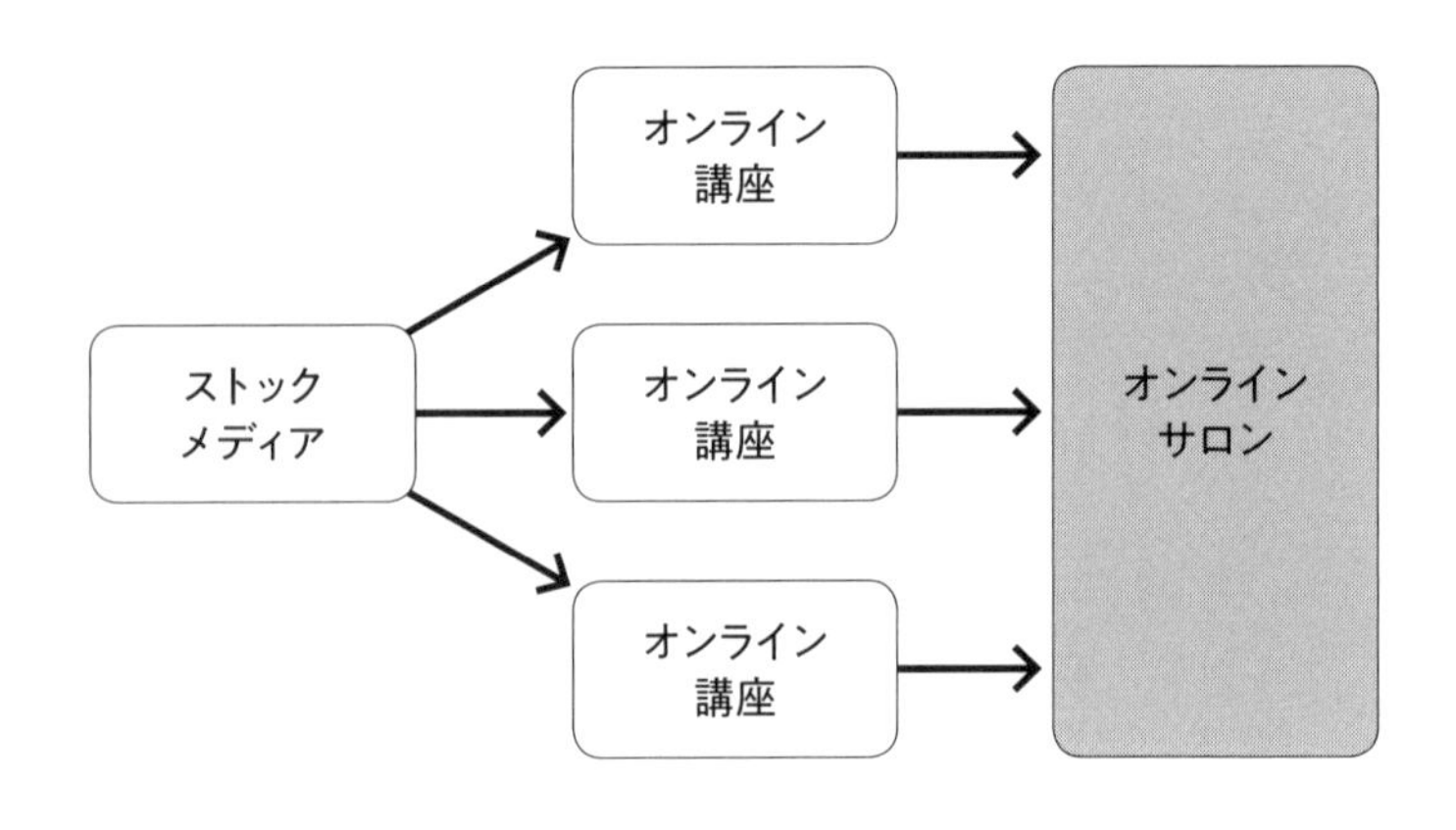

第3章

あなたの中に眠るコンテンツを呼び起こそう

01 ― 今までの人生を棚卸ししてみよう

【実際にコンテンツを作る手順を学ぶ】

コンテンツビジネスの全容をわかっていただいたところで、本章では実際にコンテンツを作る方法をお話ししていきます。

まずは「どんなコンテンツを作るか」についてです。どんなコンテンツでオンライン講座を作るかのテーマを考えていきましょう。

今までの人生を棚卸しすることで、自分の中に眠るコンテンツを呼び起こします。

【自分の全てがコンテンツになる】

「自分にはコンテンツにするものがない」と考えている人もいるかもしれませんが、それは間違いです。

あなたの中に、必ずコンテンツが見つかります。ただし、どんなものでも売れるコンテンツになるわけではないので、コンテンツ化できるものの見つけ方や、テーマ発見のプロセスについてお話しします。

まずは、これまで自分が実際に勉強したこと、習ったこと、経験したことを棚卸しするところからはじまります。まずはこれら全てを紙に書き出してください。

次に、書き出したものの中から実際に体験したこと、実践したことを考えます。実践してみた結果、失敗したことでも構いません。もちろん、失敗して投げ出してしまったことは

● コンテンツ化のプロセス

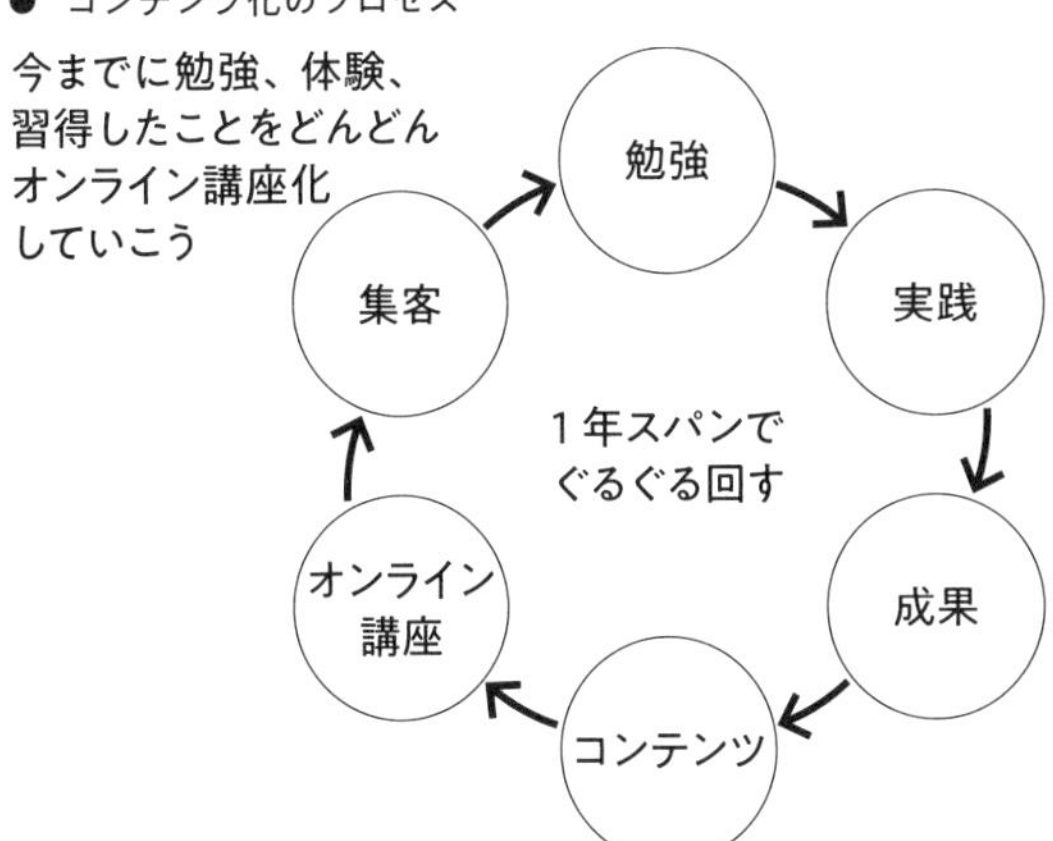

ダメです。失敗を繰り返しながら形になってやっと成果につながってきたことを考えましょう。

この成果につながったことが、コンテンツになります。あなたの経験は、あなたのように成果を出したい人にとって、貴重なノウハウだからです。

コンテンツが決まったら、オンライン講座を作ります。そして、オンライン講座に集客します。ここまでがコンテンツビジネスの1サイクルです。

前述したように、オンライン講座は1年サイクルくらいで作り続けるのが理想ですから、ここでまた次の勉強をはじめて、実践をします。そうやって、サイクルを回していきましょう。

勉強と実践を繰り返すことで、自分自身も成長でき、オンライン講座も増えていきます。せっかく頑張って身につけたことですから、どんどんコンテンツ化していきましょう。

【3C分析で自分の中から素材を書き出そう】

自分が勉強したこと、実践したことならどんなテーマでもいいかというと、そうではありません。

自分の中にあるテーマの中からどれがオンライン講座として需要があるかを見極めるためには「３Ｃ分析」の考え方を使うとよいです。

３Ｃ分析とは、自分・顧客・競合の３つの角度から分析するマーケティング手法です。

3C分析：自分

３Ｃ分析の「自分」では、自分の経験や実績を書き出します。自分の成功体験や挫折体験など、人に教えられることを書き出してみましょう。挫折経験から教えられるもたくさんあるので、挫折した経験も貴重です。大事なのは、自分の体験に基づいているのかというところです。ただ座学で学んだだけでなく、実践したことは、絶対に自分だけのオリジナルコンテンツになります。

どこからか学んだことをそのままではなく、自分の中で実践して成果を出したことだけを思い出して書き出してみてください。

3C分析：顧客

3C分析の「顧客」では、顧客のニーズを考えます。

先ほど、「自分」で棚卸しした中から、人に質問されること、頼られることなどを書き出してみましょう。まわりの2人以上から質問されるということは需要があるということです。経験を思い出して書き出してください。

3C分析：競合

3C分析の「顧客」では、あなたの考えるテーマと同じような発信をしている人や企業を分析します。

● 3C分析で自分の中から素材を書き出そう

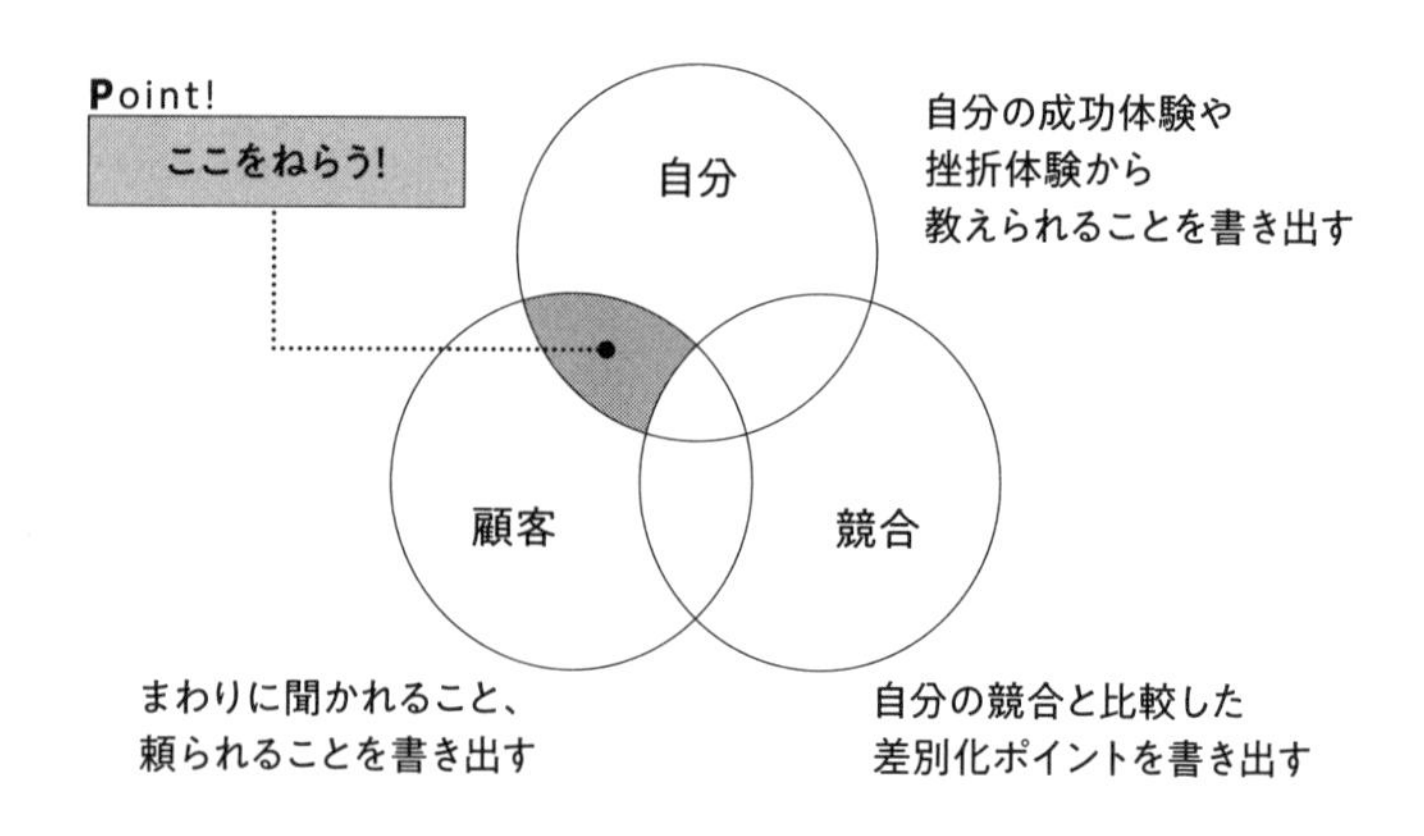

似たような内容のオンライン講座や書籍があれば購入して、自分のできることと競合を比較してください。そして、差別化できるポイントを見つけて書き出しましょう。

3C分析が終わったら、いよいよコンテンツ化するテーマを決めます。コンテンツ化するテーマは前ページの図の色がついている場所を狙うといいでしょう。

つまり、自分と顧客が重なり、かつ競合がいない場所です。

当たり前ですが、自分の中にないことは語れません。そして、お客さまが求めていないことはお金にはならない。さらに、競合がいないところを狙います。差別化をして重なりあわないところで勝負した方がいいというわけです。

自分の場合はどうか、ぜひ紙に書き出して考えてみてください。

【自分がやりたいことではなく必要とされていることを見つける】

3C分析の中から、コンテンツ化するテーマを考えるときに大事なことは、自分がやりたいことではなく、必要としている人の目線で考えることです。

本書の序盤でもお話ししましたが、「どういう人が」、「どうなれる」「何をする」ということを深く考えてテーマを探しましょう。

お客さまがどういう悩みを持っているのか、どういう欲求を持ってる人がこのオンライン講座の対象なのかを考え、その人がどうなれるのかの到達点、魅力的なベネフィットを考えましょう。そうすれば、そのために何をするか、何を教えてあげるのかが見えてきて、オンライン講座の全容がイメージできるようになるはずです。

ポイントは、具体的なお客さまがイメージできるかどうかです。「こんなオンライン講座を作ってみよう」と考えたとき、「あの人は絶

● 提供するコンテンツを考えよう

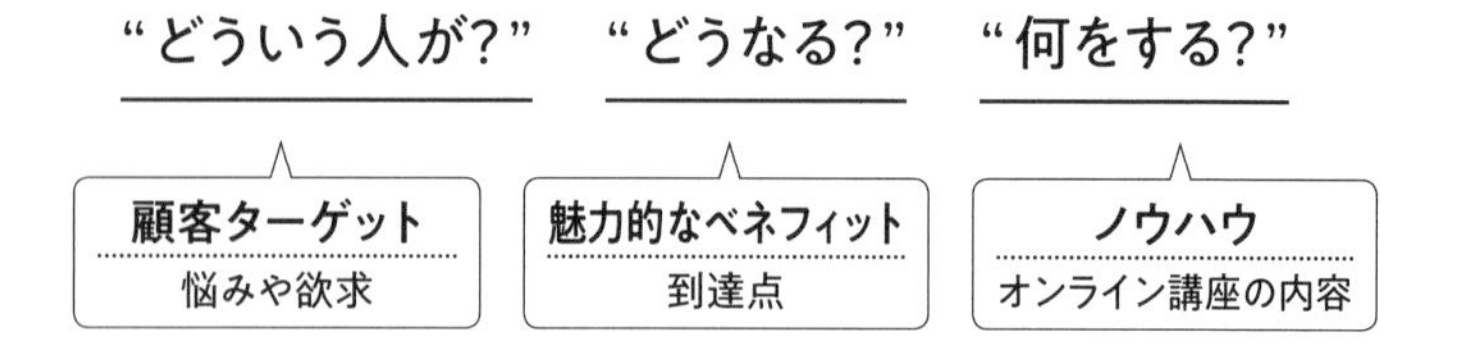

自分がやりたいことではなく、
必要としている人がいそうかどうかで決める

対顧客になってくれるはずだ」と思える人が何人かいる状態が一番いいです。

コンテンツのテーマ選びはとても大事です。今までの人生を振り返って、とにかくうんと考えて、いろいろ書き出してみて考えてみてください。

02 ─ 選ばれるコンテンツに仕立てよう

［コンテンツを体系化する］

オンライン講座のコンセプトが決まったら、具体的なコンテンツの作成に取り掛かりましょう。まずはコンセプトにのっとってコンテンツを体系化する作業です。具体的には、コンテンツの全体図を描く作業を行います。

オンライン講座は思いつきで作り出してもうまくいきません。まずは全体を組み立てるところからはじめましょう。

コンテンツの全体像を作り出すのは大変な作業ですが、最初から完璧に作る必要はありません。何度も試行錯誤を繰り返し、ブラッシュアップして、求められるコンテンツを作っていきましょう。

コンテンツを体系化するうえで重要なことは「ゴール設定」です。ノウハウが身につくだとか、習得できるだとか、そういうことではなく、「結果、あなたはこんな状態になりますよ。こんな状態になれますよ」こういったゴールを設定してください。人はノウハウにお金を出すわけではありません。そのノウハウを手にした結果、手に入れられる状態にお金を出すのです。

ですから、ゴールの状態が魅力的であればあるほど、受講料を高く設定できますし、集客もしやすくなります。

ゴール設定がしっかり設定できたら、ゴールに到達するための手順を考えていきます。

何をどの順番でやっていくのかということを順序立てて考えていきましょう。ただ順番

● ノウハウをコンテンツ化するためには

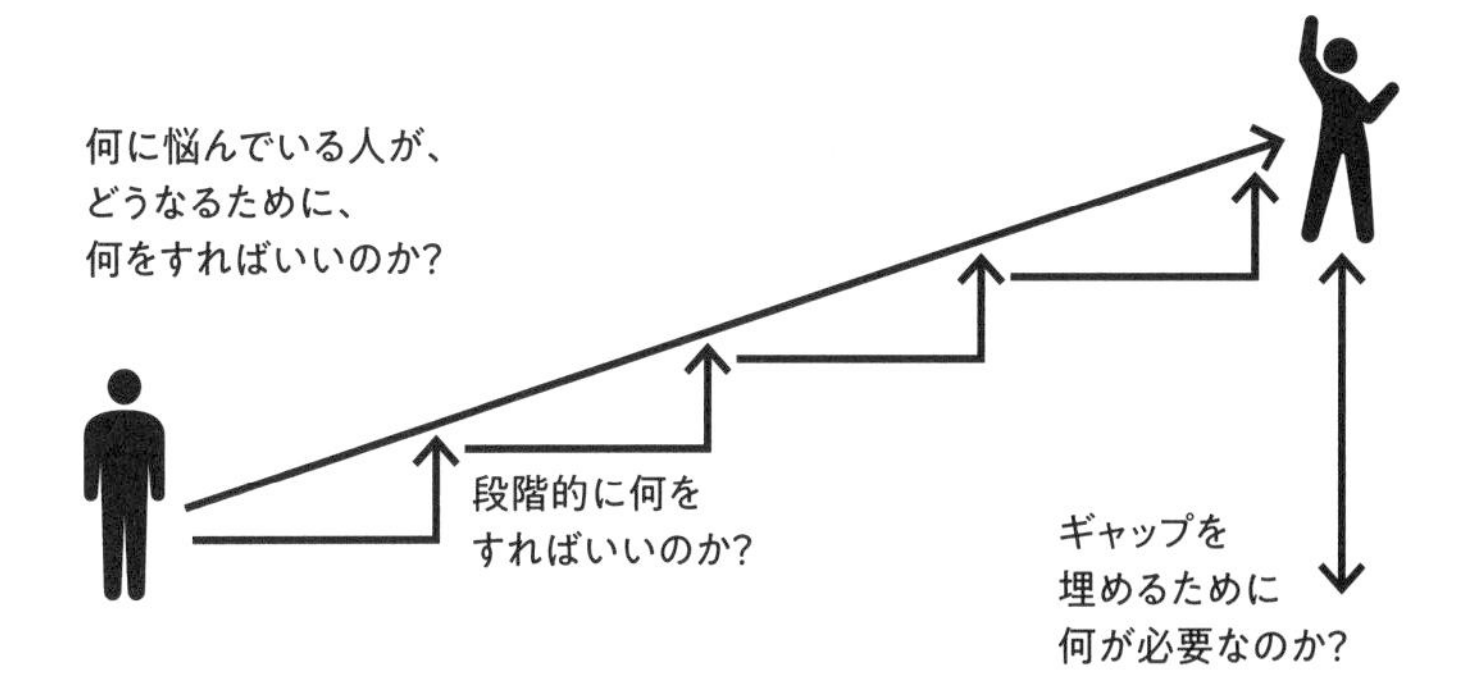

で羅列するのではなく、階段を作ってあげるイメージで表現するとよいです。ノウハウは一気に習得できるわけではないし、順番も大事です。これをやったら、次はこれ、そしてこれ、という感じで、段階的にステップアップする道筋を作ります。

受講者が悩まないように決め打ちしてあげるのも大事です。オンライン講座を作る側としては、ある程度受講者に選択肢を与えたい気持ちがあるのはわかりますが、受講者としては、迷う要素がないほうが安心します。

例えば、「サイトを作りましょう」と受講生に教えてあげるとき「サーバーの会社はどこでもいいので好きな会社を選んでくださいね」というより「この会社で作りましょう」と決め打ちしてあげる方がいいのです。

そうすることによって、受講者は迷わずにどんどん次に進めます。このスピード感が受講者のテンションを上げるので、どんどんノリノリになってくれます。選択肢があればあるほど、受講者は躊躇して手が止まってしまうので、迷わせないというのは、ポイントです。

コンテンツは階段式で進んでいくというお話をしましたが、次のステージの階段に上がるときのクリアの条件をしっかりと明示することも大事なポイントです。習得が階段式である以上、「この条件をクリアしていないと、次に進んでも意味がない」ということはたくさん出てきます。九九がいえないのに、分数の掛け算に進んでも混乱するだけです。まずは九九を覚えて、それができたら2桁の掛け算を覚えて、それができたら分数の掛け算に進む。そんなイメージで、クリア条件を明示してあげましょう。

条件を満たして、1歩1歩着実にクリアしていくことを受講者に意識づけることが重要です。条件は、できれば数値化してあげてください。数値化できるクリア条件がない場合は、チェック項目などを書いてあげるといいと思います。「これはできてますか？」のようなチェック項目を出してあげて、これがチェックできたら、次に行きましょうというような形で進めていくとよいでしょう。

オンライン講座の受講生は、「ん？」と疑問に感じるところが出てきたら、そこで手が止まってしまいます。こちら側が思っているよりずっと些細なことで「なんでこうなるの？」と感じて止まってしまうので、コンテンツを作る際は「なぜ？　なんでこうなるの？　どうしてこんなことしなきゃいけないの？」と、自問自答しながら自分のコンテンツを見るようにしてください。

少しでも疑問に感じそうなところは、全部回答してあげて、疑問をつぶしておくことが重要です。

コンテンツが最後までできあがったら、想定する受講者と同じようなスキルレベルの人に、オンライン講座を見てもらってください。

些細なことでも、疑問に思ったことがあれば全部教えてもらってください。その人が躓くところは、きっと受講生も躓くはずです。

自分だけで作って自分だけでチェックしてしまうと、独りよがりなコンテンツができあがってしまいます。第三者にチェックしてもらうことで、よりよいコンテンツに仕上がります。

[コンテンツを語るにふさわしいプロフィールを作ろう]

オンライン講座の資料ができあがったら、次に講師（あなた）のプロフィールの文章を考えます。プロフィールはオンライン講座の内容と同じくらい重要です。オンライン講座で何かを学びたいと思っている人は「誰から学ぶのか」ということを重要視しています。ネットが発達するにつれ、その傾向は顕著になっています。あなたがこのオンライン講座をする理由が伝わるプロフィールを作成しましょう。

人は専門家や実践者の話を信用します。場合によって、専門家の話を聞きたいときもあるし、実践者の話を聞きたいときもあります。

例えば自分がガンになったときを想像してください。お医者さんから専門的な話を聞きたいのはもちろん、闘病して克服した人の体験を聞きたい場合もあるはずです。

どちらがよいというのはありません。専門家として情報発信のオンライン講座を作るのか、実践者としてオンライン講座を作るのかによって打ち出し方も変わってくるということです。

自分のオンライン講座のテーマではどちらがよいのかを決めて、それに見合ったプロフィールを書いてみてください。

名前の前には、「肩書き」をつけます。

肩書きは、検索されるようなものをつけるのが基本です。オリジナリティーを出したい気持ちからよくわからない造語で肩書きをつける人もいますが、これはおすすめしません。よくわからない肩書きは、その肩書きを認知してもらうための告知活動をしなくてはなりません。オリジナリティーのある肩書を使う場合でも、せめて一般用語でテーマを表す単語と専門家を表す単語の組み合わせにとどめましょう。

肩書きが思いつかないなら、同業者の肩書きをチェックしてみてください。同業者がテレビやネット記事に出たときの肩書きをチェックします。そこに出てる肩書きが、その仕事をしている人をメディアが呼ぶときに使う言葉です。

肩書きが決まったら、プロフィールの文章を書いていきます。プロフィールとは、自分のことを客観的にストーリーにして書いた文章です。

注意点としては、凄い人に見せようとするあまり、行き過ぎてしまうことです。ときどき「あんた何様?」といいたくなるようなプロフィールを書いてしまう人がいるので、気をつけてください。

もうひとつ気をつけるポイントは、「人生の全部を書く必要はない」ということです。今回提供するオンライン講座を教えているのがあなたである理由や裏づけになる部分のみをプロフィールに書いてください。つまり、オンライン講座に直接関係ないことは蛇足だということです。

プロフィールを読んで、「あっ、こういう専門家だからこういうオンライン講座を立ち上げたんですね」「こんな経験があるからこのオンライン講座ができてるんですね」と思われる項目のみを抽出して、プロフィールを組み立てましょう。

03 ― コンテンツを仕上げる

［コンテンツを仕上げよう］

全体像が見えたら、実際にオンライン講座のコンテンツを作成していきます。具体的には、PowerPointのようなスライド資料を作り、これを画面に表示させて動画を撮ります。

Zoomでも簡単に作成可能です。

スライドを画面に表示させて、内容を動画で解説しましょう。画面をスライドだけにしてもかまいませんが、例のように解説者の顔を出して動画で解説すると、より親近感を持ってもらえます。

● 動画講座のイメージ

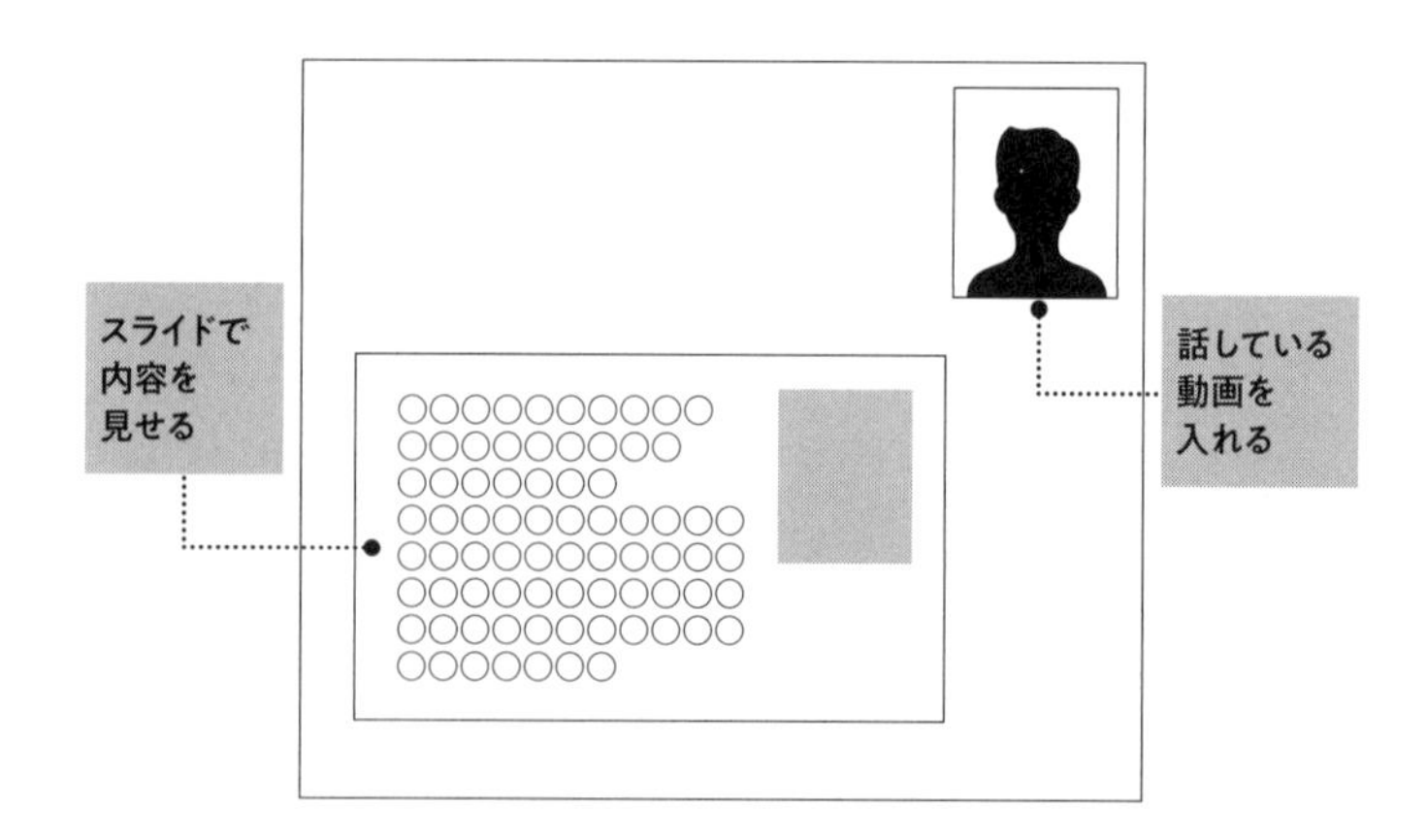

【動画用に資料を作ろう】

まずは、今回のオンライン講座で説明しようと思っていることを箇条書きにして、とにかく書き出してみましょう。具体的には、次のようなことです。

- そのノウハウを身につけた経緯は？
- ノウハウを実践していいことある？
- そのノウハウのメリット、その根拠や理由は？
- そのノウハウの全体像
- そのノウハウを実行するための前提条件や必要な準備は？
- では、まず何をすればいいですか？
- 次に何をすればいいですか？
- 最後に何をすればいいですか？
- このノウハウを実践するうえでの注意はありますか？
- このノウハウを実践した先に待っている状況は？

このようなことをこの順番でまずは紙に書き出してください。

伝えたいことが決まったら、書籍の目次を意識して順序よく伝わるように組み立てていきます。

このコンテンツは、最終的に書籍になるわけですから、この時点から書籍の構成に合わせてスライドを作っておけば手間がかかりません。

書籍の目次をイメージして、第1章、第2章、第3章……と章で大枠を作り、その中に節を組み立てていきましょう。

書籍は全部で6章立てくらいがちょうどいいので、コンテンツも全6章くらいになるように作ってみてください。

項目を全部並べ終わったら、俯瞰して調整して終了です。流れを見ながら、これはこっちで説明した方がいいんじゃないかな、ここここは同じようなことといってるからちょっと省こうかな……などいろいろ見えてくると思います。最初から最後まで綺麗に話が流れてるなと思えたら、スライドの構成の完成です。

実際にスライドを作るときには、次のようなことに注意して作るとよいでしょう。

- フォントが与えるイメージと読みやすさを考える
- 見やすい配色、罫線の太さ
- 写真や図を活用する
- 背景など無駄な装飾はしなくていい
- ワークは穴埋め形式やチェックリストにして飽きさせない
- 補足や注意書きを入れる
- 著作権表記や参考文献を入れる

気をつけてほしいことは、文章で伝えすぎないことです。スライドに長文を書き込んで、それを朗読するような形にしてはいけません。

読みやすさ、見やすさを大事にして、必要なポイントだけをスライドで見せるようにしましょう。

【動画の撮影の準備】

スライドができたら、それを使って動画を撮影します。必要な機材は、カメラ・マイク・照明ぐらいでしょう。動画のスタイルによって、どの機材を重視するのかは変わると思いますが、音声が聞き取りにくいと受講生のストレスが溜まるので、マイクはそれなりの物を準備してください。

もし、自宅でなくどこか会場を借りて撮影するなら、その場所も手配します。第三者とインタビューや対談形式で動画を作成するのもよいですし、お客さまを入れてセミナー形式にしてもよいでしょう。

自分ひとりで動画を作るより少し難易度が上がるかもしれませんが、臨場感のある動画を作成できます。

カメラ位置も、最初に決めてしまいましょう。どの角度から撮るか、資料はどのサイズで表示するのかなど、全体の画面イメージを事前に決めておきます。

台本を見ながら朗読してしまわないように、あまり作り込まないのがポイントです。

できるだけ台本は見ず、カメラ越しの相手の目を見て話します。スライドがあるのですから、話す順番はわかっているはずです。台本を作る場合も、話の流れだけ確認できるような形にすると、自然になります。

【動画の撮影】

オンライン講座は1本あたり、5分から15分ぐらいの長さの動画にします。

あまりに長いと、見終わったあと「結局何を学んだんだっけ？」となることも多いので、ポイントを絞って1本1本を細かくして、量を撮っていく方が見てもらいやすくなります。

動画の編集に、高価なアプリは不要です。あくまで見せたいのはオンライン講座の内容であって、凝った作りにする必要はありません。YouTuberではないので、BGMやテロップなども不要です。

動画の作りはテンプレート化してしまうと、時短になりますし、修正するときも楽です。

04 ― コンテンツの本質論

[原稿は自分で書くより、ライターに頼む]

オンライン講座用の動画ができあがったら、これを使って書籍の原稿を作ります。前述したように、書籍は自分で書くのではなく、プロのライターにお任せしてください。

理由は単純に大変だからです。書籍一冊の文字数は少なくても、10万文字前後になります。10万文字といえば、1000文字のブログ記事の100記事分です。そう考えたらどれくらいの時間がかかるのか大体想像できると思います。

せっかく動画を撮ったのですから、その動画をライターさんに渡して文章化してもらうことで、時間が大幅に節約できます。

ライターの費用は大体50万円程度を想定しておくとよいでしょう。もちろん、これは大体の相場なので、これより安いライターさんや高いライターさんもたくさんいます。ライターの場合、「安かろう悪かろう」ということはありません。

何より大事なのはライターとの相性です。自分の意図を汲み取ってくれる、理解力のあるライターを見つけるのが大事です。性格的な相性も大事ですが、あなたのコンテンツに興味を持ってくれるような人だとベストです。あなたのコンテンツに興味のない人が書いた文章より、興味のある人が書いたものの方が、熱量が高く、読んでいて面白い文章になるのは間違いありません。

ライターの費用は大体50万くらいといいました。これはもちろん、あなたが払うものですが、書籍を書くと印税が入るので、それをライターの費用にすれば持ち出しは少なくなります。上手くいけば、印税で全てのライター代をまかなうことも可能です。ライターは、クラウドソーシングサイトなどを使って見つけることができます。

【ライターに動画を渡して、原稿を執筆してもらう】

ライターに動画を渡して、書籍の原稿を書いてもらう際、気をつけるポイントとしては、動画の内容をそのまま書籍にはしないことです。

オンライン講座をそのまま書籍にしてしまうとオンライン講座に申し込む意味がなくなるので、書籍では内容を咀嚼して、本質論的な考え方やスキームなどを中心に伝えるようにします。

書籍では抽象化した話をして、具体的なノウハウについてはオンライン講座にきてもらうというような感じです。

ライターに動画と資料を渡したら、口頭でオンライン講座の内容や趣旨などを説明しましょう。

どんな目的でオンライン講座を作ったのかとか、全体像とか、そういったことは動画や資料には入っていませんから、きちんと説明しなければわかってもらえません。

その後、ひとつひとつ動画を見てもらって、原稿を書いてほしいと伝えてください。

動画を見てもよくわからないことは、ライターから質問があります。

その質問が挙がってくるということは、オンライン講座を受講した人も同じ疑問を抱く可能性が高いです。ですから、質問があった場所は動画自体を撮り直すようにしてください。動画を撮り直して疑問を解消していくと、オンライン講座のクオリティがどんどん上がります。

ライターが動画を見てくれることで、オンライン講座のクオリティチェックも兼ねることになるので一石二鳥です。

【書籍にはステップメールの導線を仕込んでおく】

書籍には必ず、ステップメールへの導線、つまりメールアドレスを入力してもらう仕掛けを仕込んでおきましょう。読者と連絡を取れる手段がなければ、オンライン講座やその他諸々の仕掛けに誘導することができません。

メールアドレスを取得するオーソドックスな方法は、書籍の中に特典を用意しておくことです。

例えばマニュアルや書籍の中に登場したワークシートなどをダウンロードできるプレゼントを用意して、それをダウンロードする際にメールアドレスを登録してもらいます。最近は、動画解説のプレゼントなども流行りです。

とにかくメールアドレスを取得する仕掛けは必須なので、自分の書籍に合った方法を考えて書籍に掲載してください。

また、書籍のプロフィール欄には、ブログやホームページのURLを掲載しておきましょう。自分のメールアドレスでも構いません。ここからの問い合わせは意外に多いので忘れないようにしてください。

書籍のあとがきなどに「この書籍の内容について質問があればご連絡ください」と書いておけば、読者が連絡を取りやすくなり、あなたに接触してきてくれる可能性が上がります。

届いた質問にはもちろん丁寧に回答してあげてください。読者の相談に丁寧に対応することによって、読者とより信頼関係ができます。結果的にオンライン講座への申し込みも増えることになります。

質問や相談に乗りますと書いたところで、そんなに数は集まりません。経験上100件も来ることはないので、心配しないでください。それよりも、読者の質問に答えるという真摯な姿勢を見せるだけで好感度が上がるので、そのメリットの方が高いのです。

05 ─ コンテンツを求めている人の悩みからブログ記事を作る

【ブログ記事を作るときの大事な考え方】

書籍用の原稿ができたら、今度はそれをリライトしてブログ記事を作り、ブログを立ち上げます。

ブログを作る目的は、集客です。検索エンジンからブログにアクセスしてもらい、あなたのオンライン講座や書籍を知ってもらうことを目的としています。ブログの記事の内容は、基本的にはオンライン講座や書籍と同じですが、切り口が全く変わってきます。

そもそも、ブログにはどこから人がやってくるのでしょうか。まずは、ブログに見込み客が来るときの導線を考えてみましょう。当たり前ですが、見込み客がなんらかのキーワードを使って検索エンジンで検索し、あなたのブログを見つけて訪問してくれます。

つまり、このキーワードに即した記事でなければ、クリックして読まれることはありません。ですから、あなたのブログ記事は、何らかの集客できるキーワードを意識した記事にしなければいけないのです。

では、そのキーワードはどんなものが考えられるでしょうか。

人が何らかのキーワードを入れて検索しているとき、その人は何かに悩んでいます。何かに悩んで、何かを知りたくて検索しています。

ということは、あなたのブログに人を呼び込むためには、キーワードから導き出した悩みを解決するようなブログにしなければなりません。そして、そのキーワードで検索されたときに、検索結果の上位に表示されないと見てもらえません。

キーワードでの上位表示と、悩みを抱えている人にとって役立つ記事であるかどうか。この2点がブログ記事を作るときに大事なことです。

逆にいえば、この2点さえ守れていたら、訪問者に特に売り込みをかける必要はなくなってきます。その人は自然に、あなたのブログを読んで、さらに書籍、オンライン講座に興味を持ってくれる確率が高いからです。

困っている人に手を差し伸べるだけで、ブログは信頼されます。困った人が検索をして自分のブログにたどり着いたときに、その人の悩みを解消するような記事を用意しておくだけでいいのです。

ブログ運営者が信頼されると、その人が運営しているオンライン講座や執筆した書籍の信憑性も上がることになります。

【書籍の原稿からブログの記事を書き出してもらう】

ブログの記事はもちろん1から作成するのではなく、書籍の原稿を元に、検索して欲しいキーワードを意識した形でリライトします。

手間を省くなら、書籍を書いてくれたライターにブログ記事も作成してもらうとよいでしょう。ブログの記事の相場は、3000文字くらいを1記事として、1記事5000円くらいです。

狙っているキーワードをライターに伝え、できれば見出しなんかも指定してあげるとスムーズに進みます。

ブログ記事を書いてもらう際も、ライターとしっかり打ち合わせすることがとても重要です。書籍の文章のうち、どの程度までをブログの記事にしてもらうのかは、特にしっかり指示するようにしてください。

「ここまでブログに書いてＯＫ」のラインは人によって違います。書籍に誘導したいなら、書籍につなげるような記事がいいでしょうし、ダイレクトにオンライン講座に誘導する場合、ＬＩＮＥ公式アカウントに登録してもらうのが目的の場合などで、見せ方は変わってくるはずです。

そのあたりは、あなたの考え方次第なので、ライターさんにブログ記事を頼む場合はしっかり説明するようにします。

第4章

オンライン講座の作成と戦略

01 ― オンライン講座の全体像を設計する

【オンライン講座の内容と体制を考える】

コンテンツビジネスのマネタイズの中心であるオンライン講座の戦略について考えていきましょう。

「もう動画は作成したけど?」と思われたかもしれませんが、動画はオンライン講座のメインコンテンツではありますが、動画だけあっても完成ではありません。

オンライン講座はサイトを作り、お金を払ってくれた受講者だけがそのサイトにアクセスできるようにします。

どうやってお金を払ってもらうのか、どんなサイトにするといいか、オンライン講座の中のカリキュラムで使う資料やテキストはどうやってダウンロードしてもらうのか、サポートはどうやって受けつけるのか……などなど、考えることはたくさんあります。

オンライン講座全体の内容と実行する体制、集客から卒業までのフローを考えていきましょう。

［集客から卒業までのフローをどうするか］

お客さまの集客から申し込みまでのマーケティングから、申し込み後～卒業までの運用、卒業後のオンラインサロンへの誘導までのフローを考えます。

STEPごとに、使用するツールとあなたが用意するものを図で確認してください。こうやって書き出してみると、やるべきことがたくさんあるのがわかると思います。

STEP1の認知とSTEP2の集客、STEP3の教育、STEP4の商品申し込みまでが、マーケティングの分野になります。

各STEPごとに、簡単にやることを説明していきます。

● 集客から卒業までのフロー

	使用するツール	あなたが作成するもの・考えること
STEP1 認知	検索エンジン・ Twitter	□ Twitterのツイート □ ブログのSEO対策 □ 商業出版
STEP2 集客	ブログ・ 商業出版	□ ブログからステップメールへ誘導の仕掛け □ 商業出版からステップメールへ誘導の仕掛け □ 自分の名前のFacebookページ
STEP3 教育	ステップ メール	□ ステップメールのセールスページ □ 申込みフォーム □ 自動返信メール □ ステップメール
STEP4 商品	オンライン 講座	□ オンライン講座販売用のセールスページ □ 決済システム □ 自動返信メール □ WordPressでオンライン講座サイト □ アンケート □ 自動返信メール
STEP5 フォロー	オンライン サロン	□ オンラインサロン用のセールスページ □ 決済システム □ 自動返信メール □ オンラインサロン用のFacebookグループ □ Zoom

STEP1・認知

認知とは、あなたのオンライン講座を知ってもらうための作業です。オンライン講座を広く知ってもらうためには、アクセスのあるブログを作らなければなりません。検索エンジンの検索結果でブログ記事を上位表示させる作業、つまりブログのSEO対策やTwitterでの拡散を行いましょう。

STEP2・集客

認知の結果、ブログや書籍を見てもらうことになります。ブログに集まってくれた人には、ステップメールに登録してもらいます。ブログと書籍から、見込み客をスムーズにステップメールへ誘導しましょう。そのためにステップメール登録用のセールスページが必要になります。セールスページとは宣伝のための1ページ型のサイトです。セールスページを見てもらって、読者はアクションを起こすので、「申し込みしたい！」と思わせられるページを作らなければいけません。

STEP3・教育

ステップメールでやることは、「教育」です。自分にオンライン講座の内容が必要であることを自覚してもらい、申し込むことに納得していただきます。

STEP4・商品申し込み

ステップメールの最後でオンライン講座の申し込みへ誘導します。ただし、この時に誘導するのはオンライン講座のセールスページです。オンライン講座のセールスページでしっかりと納得をいただいた上で申し込んでいただき、決済してもらいます。申し込みをしてもらった際の自動返信メールなどもしっかり準備する必要があります。オンライン講座に入室してもらうためのURLとパスワードは自動返信メールで伝えるとよいでしょう。

オンライン講座はサイトの形で提供します。オンライン講座用のプラットフォームとして、Udemy・Schoo・Teachable・LCKcloudなどもありますが、いずれも人のサービスですし、中には定額で会費がかかるものがありますので、あまりおすすめしません。それよりも、パスワードを使ってログインできるサイトをWordPressで作成し、動画を貼りつける方法がおすすめです。購入者が学習しやすいようなサイトにしましょう。

STEP5・フォロー

無事、オンライン講座を卒業してもらったあとは、オンラインサロンに誘導します。この際も、セールスページで宣伝します。オンライン講座に興味を持って進めてくれた人が、続けてオンラインサロンの継続課金モデルに申し込みたくなるようなセールスページを作ることが大切です。

ここでも、決済と自動返信メールを用意します。そしてもちろん、オンラインサロン自体もきちんと用意しなければいけません。オンラインサロンは、Facebookグループで作成するのがおすすめです。退会した人はメンバー削除で対応できます。

以上が、フロー順のやるべきことです。必要なもの、用意しなければいけないことはかなりの数になるので、106ページの図でチェックしながら、足りないものがないように確認してください。

【最終的な目標を意識しながらフローの手順を考える】

コンテンツビジネスの最終的な目標は、オンラインサロンを盛り上げることです。全てはオンラインサロンに集約させていくことを常に意識しながら準備することが大事です。

受講中も、常に自分のファンになってもらうことを意識しましょう。

一切受講者と関わらずに自分のファンになってもらうというのは、なかなかハードルが高いことです。ですから、要所要所で受講者と接点を作っていきましょう。月に1回のオンライングループコンサルとか、質問し放題の体制とか、そんな受講者との接触頻度を高める工夫をフローの中に盛り込んでいくと濃い関係性を作ることができます。

【オンライン講座には松竹梅のコースを用意する】

料金は松竹梅にするといいというセオリーがあります。外食店のランチやディナーで、低価格・中間の価格・高額の3種類価格帯のコースが用意されているのをご存知だと思います。あれが松竹梅の法則です。

料金が松竹梅で用意されている場合、大抵真ん中のコースを選ぶというのがこの松竹梅の法則になります。また、松竹梅にすることで、お客さま本人が「自分が選んだ」という自覚を持ち、当事者意識を持ってくれるようになるのです。

また、「やるかやらないか」の2択よりも、「松・竹・梅・やらない」の4択にする方が、購入してもらえる確率が上がります。やる・やらないではなく、どれにするかという選択にしてあげましょう。


松竹梅の差を考えるときは、竹を最初に作り、それを基準に松と梅を考えましょう。

松は、ガッツリとサポートするコースにします。

松の特典として毎月個別コンサルなどの手厚いサポート以外にも、実践会の開催の権利などをあげるのも喜ばれる方法です。交通費と宿泊費くらいは負担してもらっていいと思いますが、講師料を無料にしてあげてみてください。

梅のコースは、教材のみ閲覧できるという内容にします。質問もできないような簡易的なコースです。

02 ― オンライン講座のサイト作り

【動画ファイルをアップロードして受講生が閲覧できる形にする】

オンライン講座の動画を動画共有サイトにアップロードすると、動画のリンクが発行されます。そして、このリンクをサイトに貼りつけて受講生が閲覧できる形を作ります。

動画共有サイトは、「vimeo」というサービスがおすすめです。vimeoがおすすめの理由は、パスワードで視聴制限できたり、選択した人だけ視聴できたりなどの設定ができることです。

vimeoは無料プランでも使用できますが、有料プランに課金した方が機能が豊富です。メインで使うサービスですから、課金する価値は十二分にあると思います。

[WordPressでオンライン講座サイトを作り動画を貼りつける]

動画をアップしたら、WordPressでオンライン講座の専用サイトを作って、動画を貼りつけてオンライン講座ページを作るという流れになります。

オンライン講座は、パスワード入室機能があるサイトにします。これはWordPressの「Password Protected」という無料のプラグインを使えば簡単に作ることができます。

オンライン講座のサイト内には、動画を埋め込んだページだけでなく、資料やワークシートなどをダウンロードしてもらう用意なども必要です。これはDropboxやGoogle Driveを使って用意するとよいでしょう。

オンライン講座のサイトは、次のような構成で作ります。

- サイト名　↓　オンライン講座の名称
- カテゴリ　↓　オンライン講座の章分け

●記事名　→　各オンライン講座のタイトル

1ページにつき、1つの動画を貼りつける構成にします。動画の数だけ、ページを作ることになります。

それぞれの記事に読者がコメントを投稿できる設定にして、記事ごとに質問をコメントで受けつけるようにしてください。

これで、オンライン講座のサイトは完成です。サイトにはパスワードで入室するようにしますが、このパスワードとオンライン講座のURLは、決済後の自動返信メールの中に記載しておくと手間が省けます。

● オンライン講座のサイト構成

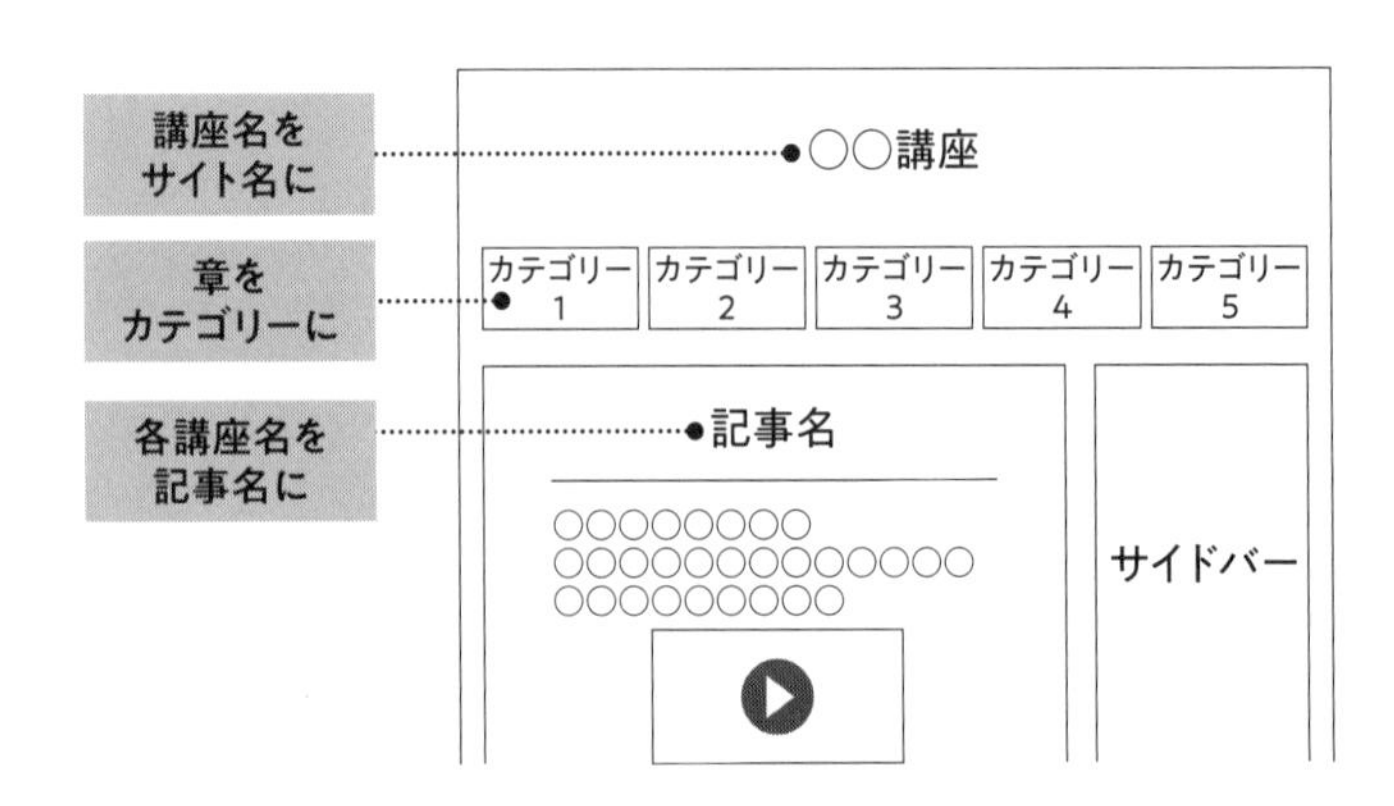

03 申し込みをしてもらえるセールスページを作ろう

【セールスページを作る】

本書で解説するコンテンツビジネスでは、ここぞというタイミングでセールスページを見てもらい、申し込みをしてもらいます。

セールスページを表示するタイミングは次の3つです。

①ステップメールに登録してもらう
②オンライン講座を購入してもらう
③オンラインサロンに入会してもらう

今回は、この中でも②のオンライン講座を購入してもらうときのセールスページの構成について考えましょう。

【オンライン講座用のセールスページの論理展開】

オンライン講座用のセールスページでは、何が解消されて、どんな状態を得られるのかがわかることが重要です。それを伝えるために、次のような構成にします。

最初にキャッチコピーがあって、次にオンライン講座の内容の説明を書きます。次に受講生の声を紹介します。これは、実際に受講してもらった人にアンケートで収集します。オンライン講座が開講する前は、モニターを募集してその人たちに感想をもらうなどの工夫をします。

次にベネフィット（顧客が商品から得られるよい効果）やメリットを書き、さらに詳しい商品説明を書きます。

いいことばかりでは逆に不審がられるかもしれないので、デメリットと解決策も書きましょう。最後に特典でお得感を出し、Q＆Aで疑問を解決するという流れでセールスページを作ります。

作成するセールスページの中でも、オンライン講座用のセールスページが一番マネタイズする場所なので、非常に重要です。ですから、セールスページからの成約数、成約率はシビアに追求する必要があります。

このセールスページの論理展開をしっかりマスターしたいのであれば、中尾豊さんの『ランディングページ最強の3パターン制作・運用の教科書（つた書房）』がおすすめです。

● セールスページの構成

04 ― オンライン講座に申し込んでもらうためのステップメール戦略

【お客さまを教育できるステップメール】

ステップメールとは、メールアドレスを登録してもらった相手に対して、あらかじめ準備しておいたメールを、自動配信するマーケティング手法のひとつです。

登録してもらった直後にはこのメール、1日後にこのメール、何日後にこのメール……というように、事前に設定をしておくことによって、お客さまに自分が思うタイミングでコンタクトを取り、伝えたいことを伝えられます。

ステップメールを配信する目的は、お客さまの教育です。オンライン講座のような高額商品は、いきなり購入しようという気分にはなかなかなれません。

ステップメールを使って、「このオンライン講座はあなたに必要なものなんだよ」と伝えて理解してもらうことで、スムーズに申し込みに至ります。

お客さまに、自分にとってこのオンライン講座が必要であるということを理解してもらえるよう、教育をするのがステップメールです。そして、十分に理解してもらった最後で申し込みを促します。

ステップメールは独自メルマガ配信サービスを使って配信します。個人的におすすめのサービスは「エキスパ」というサービスです。

エキスパは非常に評判がよく、私も実際に使っているサービスです。

● エキスパ

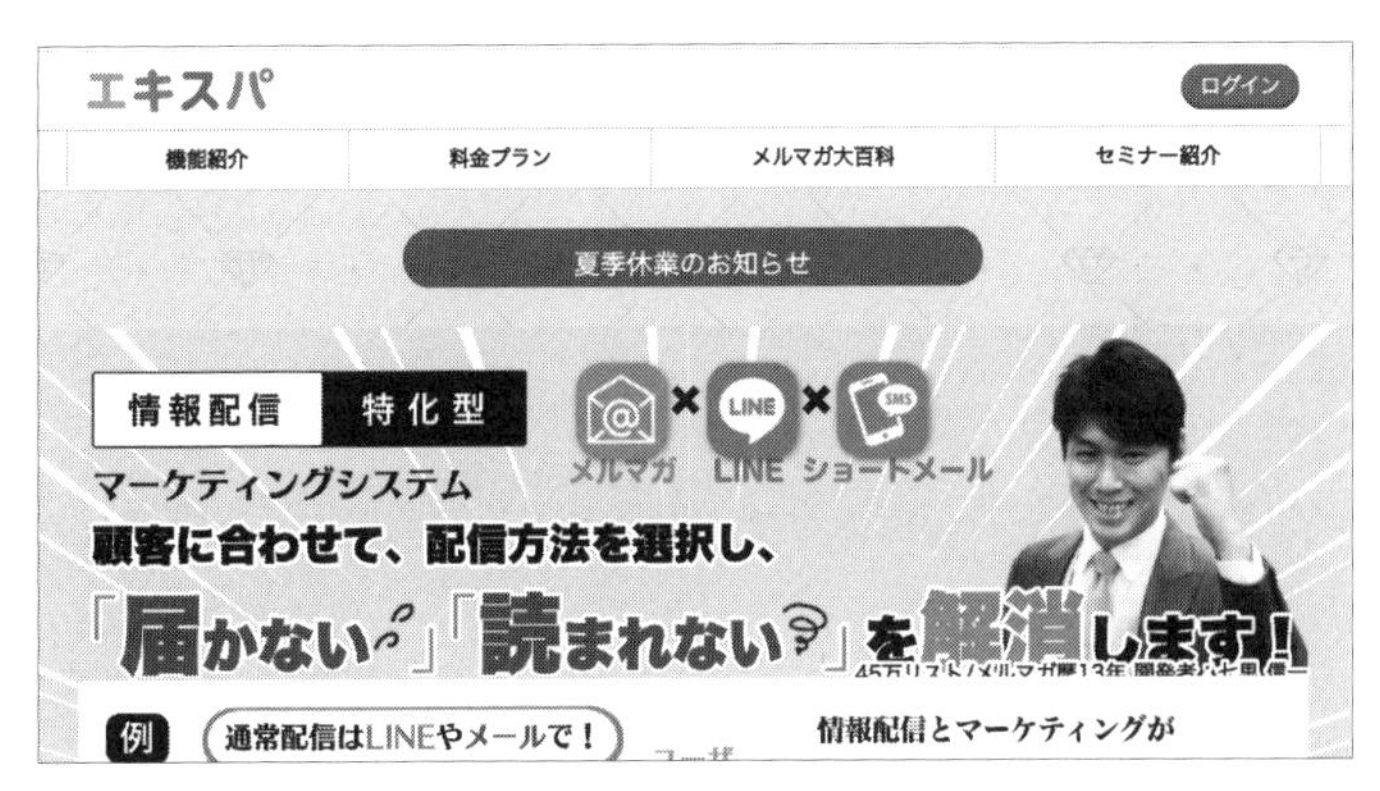

https://ex-pa.jp/

【7通のステップメールのシナリオ】

ステップメールは7通で送ります。7通のメールを通じてあなたのオンライン講座の必要性を教育していきましょう。

ステップメールのスケジュールと内容は次ページの図のようになります。

ステップメールを通して大事なことは、「その人の悩みを解決できる期待感を与える内容にする」ということです。

それを意識して、ステップメールのシナリオを考えてみてください。

ステップメールが完成したら、ステップメールのセールスページへのリンクをブログに設置しましょう。ブログのサイドメニューなどの目立つ位置に設置します。

もちろん、ブログだけでなく、書籍の販促キャンペーンで集まったリストにも告知を行います。書籍を買ってくれた人たちにいきなりオンライン講座のセールスページを送りつけたくなる気持ちはわかりますが、それはやめておきましょう。先にステップメールを読

● ステップメールの内容と構成

［1日目］

・問題提起
・登録者の悩みを明確化
・登録者の悩みに共感
・常識の破壊
・解決策を紹介
・講師の自己紹介

［2日目］

・到達後の状況、前提共有や準備

［3日目］

・具体的なノウハウの分岐と提示①

［4日目］

・具体的なノウハウの分岐と提示②

［5日目］

・具体的なノウハウの分岐と提示③

［6日目］

・具体的なノウハウの分岐と提示④

［7日目］

・到達点のイメージを明確化
・ひとりでやることの難しさ
・解決策のひとつとしてオンライン講座を紹介

セールスページへ誘導

解決するより、解決できる期待感をあたえる内容にする。

んでもらった方が、結果的にはたくさんの成約につながります。
それほど、ステップメールの教育の効果は高いのです。

【オンライン講座のセールスページにはステップメールからしかアクセスさせない戦略】

個人的には、オンライン講座用のセールスページには、ステップメールからしかアクセスさせる必要はないと思っています。

書籍やブログなどにオンライン講座への入り口を載せるのも悪くはないのですが、あえてオンライン講座への入り口を見せない集客方法をおすすめしています。

オンライン講座は高額商品になりがちですから、書籍やブログから直接セールスページへリンクしても、教育前の状況ではなかなか成約には至りません。また、オンライン講座のセールスページというわゆるキャッシュポイントを誰からでも見える場所に設置することで、まわりに必死感を与えかねません。対象外のユーザーにそのようなイメージを持たれることはマイナスになりますし、競合や興味本位のユーザーにも調査対象として見られるのもおすすめしない理由のひとつです。

それに比べて、外部からは見えないステップメールの最終日に仕込む方法は、とてもスマートなクロージングです。興味がない人はステップメールの途中で離脱するため、何かを売り込まれたという意識は持ちませんし、最後まで読み進めてくれた人はオンライン講座の必要性を感じてくれているはずなので、スムーズに申し込みに進むため、やはり売り込まれたという感覚は持ちませんから。

もちろん、オンライン講座のセールスページへのリンクを誰からでも見える場所に設置しないぶん、ステップメールの告知はあちこちで積極的に行います。

ちなみに、オンライン講座のセールスページへのリンクは誰からでも見える場所に設置しませんが、オンライン講座やオンラインサロンでの活動は積極的にSNSでシェアしていきましょう。そうすることで「あの会、なんだか楽しそうだな」「あの会にはどうやったら入れるんだろう」とまわりの人たちに興味を持ってもらえますし、中の人たちには優越感を持ってもらえます。

売り込み感を一切出さずにこういう状況を作っていくことができたら、まわりから興味を集める存在になれ、集客に困ることはなくなるはずです。

05 ─ 受講の最後にアンケートに答えてもらおう

【アンケートに答えてもらうメリット】

オンライン講座を受講してもらったら、最後にアンケートに答えてもらいましょう。

アンケートからはさまざまなことがわかります。申し込みのプロセスや、ターゲットが実際に悩んでいたこと、客観的に見たときの自分の強み、オンライン講座の見直すべき箇所などです。


こういったことがわかることで、思いがけないルートで集客ができるようになったり、意外な切り口で宣伝できたりといったアイデアが浮かびます。

もちろんアンケートですから、必ずしもいいことばかり書かれるわけではありません。しかし、それも真摯に受け止めて、改善に活かしましょう。

【今後に役立つアンケートの項目】

アンケートの項目は、なんでもいいわけではありません。役に立つ項目でアンケートをとるようにしましょう。

具体的には次のような項目です。

- ●このオンライン講座は何で知りましたか？
- ●このオンライン講座に来る前に何に悩んでいましたか？
- ●このオンライン講座で学んだことで、一番の驚きは何ですか？
- ●明日からの自分の仕事に使えそうなことは何ですか？
- ●このオンライン講座を人に勧めるとしたら、何と伝えますか？
- ●その他、感想など

アンケートを答えてくれた人には、お礼メールを送ります。そして、このメールでオンラインサロンを案内しましょう。

【アンケートの結果を活用する方法】

アンケートはオンライン講座のフィードバック以外にも、さまざまな活用方法があります。

117ページで解説したオンライン講座のセールスページの構成に、「受講者の声」という項目がありました。この項目はアンケートで収集した実際の声を載せます。

アンケートに書いてある言葉をそのまま載せるのでも、複数のアンケートをつなげて書くのでもいいでしょう。いい感じの受講者の声を掲載すると、興味を持ってもらえます。

数は5つぐらいあれば十分ですが、なるべく角度が違うものを選ぶようにしましょう。褒めている場所が違う、もしくは褒める切り口が違うものを選ぶと、イメージを膨らませやすくなります。

受講者の紹介をかねて、受講者のビフォーアフターの姿をブログで紹介してみましょう。

「こういう悩みを持っていた人が、このオンライン講座を受けたことによってこうなりましたよ」と紹介してあげると、読者は具体的なイメージを浮かべやすくなります。

「このオンライン講座を友達に勧めるとしたらなんといいますか」というアンケート項目の答えの文章を使うと、受講生が他の人に勧めてるかのように見せることも可能です。

アンケートはTwitterにも使えます。ただしTwitterには文字制限があるので、アンケート結果を普通に使うのではなく、加工して使いましょう。

いい感じのおすすめコメントをTwitterサイズである140文字に編集して、さまざまなバリエーションで投稿すると効果的です。

第5章

商業出版で
ブランディングしよう

01 ― オンライン講座の集客につながる商業出版をする

【商業出版する理由】

コンテンツビジネスはオンラインで完結すると想像する人も多いですが、本書で紹介するコンテンツビジネスでは、商業出版や対面セミナーなどオフラインビジネスも絡めて多角的にビジネス展開するのが特徴です。

まず、商業出版をする理由から考えてみましょう。「書籍は売れない」というニュースをよく聞くと思います。それなのに、今更出版？　と疑問に思う人もいるのではないでしょうか。

しかし、私はまだまだ出版には意義があると思っています。

書籍は、かなり強力な集客ツールになります。

書籍を買ってくれる人のことを想像してみましょう。そのお客さまがその書籍を手に取り、レジに持っていくときの気持ちです。お客さまは、その段階で書籍の内容に興味があるはずです。当たり前のことですが、これは大事な点です。

書籍は、その内容に興味のある人しか買ってくれません。つまり、その時点でお客さまがある程度ターゲティングできているということです。書籍の内容に興味を持って買ってくれた人が自然にオンライン講座の見込み客になり、さらに書籍で基礎知識を学習してくれます。

オンライン講座の超優良なお客さま候補なわけです。

このような優良顧客候補を、ネット書店やリアル書店から集客できるツールが書籍になります。

出版の最大のメリットはなんといってもブランディングでしょう。

書籍の出版は権威づけに大きな力を発揮してくれます。「書籍を出版したことがある」というだけで、凄い人なんじゃないか、この分野に詳しい人なんじゃないかと思った経験は、あなたにもあるでしょう。

その他にも、出版のメリットとして、次のようなことがあります。

- 会社信用度がアップし、勝手にお客さまが集まってきます
- 出版することで、同業他社に圧倒的な差がつけられます
- 名刺代わりに書籍を出すことで、優位に商談を進めることができます
- マスコミが注目し、雑誌やラジオ、テレビなどの取材が来ます
- 弟子や社員希望者が全国から殺到します
- 著者であるあなたは「先生」と呼ばれ、「第一人者」になれます
- 同窓会にも参加しやすくなり、親戚、知人から一目置かれます
- スナック・キャバクラで、モテます
- 最大の親孝行ができます

とくに会社の信用度がアップしたり、同業他社さんに圧倒的な差をつけられる点は大きなメリットです。書籍を出してる業者と出してない業者、客観的に見てお客さまはどちらを選ぶかを考えたら、容易に想像できるでしょう。

プライベートでも、書籍を出すメリットはたくさんあります。著者になった人は皆、「とにかく親孝行になった」とおっしゃります。

親世代だと、ネットより書籍の権威の方が遥かに大きいです。出版した書籍を見て、きっと親が喜んでくれます。仕事につながるだけではなく、このような出版するメリットもあるのです。

【あなたの書籍を出版する方法】

当たり前のことですが、書籍は誰でも自由に出版できるわけではありません。

オンライン講座やオンラインサロンは自分が作りたいと思ったら、自由に作れます。しかし、書籍は出版社という第三者がＯＫしないと出版はできません。

では、どうやって出版をするのでしょうか。方法は次の３つです。

ましょう。

出版する方法①　出版社に直接売り込む

あなたの書籍の内容をプレゼンする資料「出版企画書」を作って、出版社に見てもらいましょう。

方法としては、あなたが出版したい書籍と同じジャンルの書籍を出版している出版社のホームページのチェックからはじめます。ホームページの中に「企画募集」の項目があれば、そこから企画書を送ってみてください。もちろん必ず企画が採用されるわけではありません。あくまで、募集に応募しただけです。もしかしたら返事がないかもしれませんが、その場合は諦めて別の出版社を探しましょう。

一番成功率が高いのは、既に出版した経験がある著者さんに編集者を紹介してもらう方法です。紹介であれば、編集者が企画書を必ず読んでくれますし、検討もしてくれるでしょう。

ここで1つ大きなポイントがあります。紹介してもらうのは、書籍が売れた著者さんにしてください。

書籍が売れていない著者さんは、編集者と仲良くなっていないことがほとんどです。逆に売れている著者さんは編集者と仲良くなる場合が多いです。いまいち仲良くない、売れていない著者さんから紹介された人の企画書を編集者が見る場合は、期待度が低くなるのは想像にたやすいでしょう。

人脈の問題もあって難しいかもしれませんが、間に立ってもらう著者さんは、売れている人であることが望ましいです。

出版する方法②　出版プロデューサーに依頼する

出版プロデューサーとは、名前通り、出版を成功させてくれるプロデューサーです。少しネットで検索しただけでも、たくさんの出版プロデューサーを見つけることができるでしょう。

ただ、数が多いので業界のことを知らない人にとっては、出版プロデューサーを選ぶだけでも労力を使うと思います。

しかし、出版プロデューサーの選び方次第であなたの出版が成功したり失敗したりするわけですから、しっかりと最初に事前情報を収集しましょう。出版プロデューサーは、実力も金額もまちまちです。セミナー形式のプロデューサーや、個人コンサル、スクールなどいろいろな形態があります。複数の出版プロデューサーを比較して、自分に合った人を探してください。

私も出版プロデューサーをやっていますので、ぜひ参考にしてください。私が担当する場合は、私の「出版実現セミナー」に参加していただくのが必須条件になっています。受講料は2日で3万円で、セミナー後は無償で出版のお手伝いをさせていただきます。

出版プロデューサー選びの1つの選択肢に入れてもらえたらと思います。

出版する方法③　オファーを待つ

これまでの方法は、自分から書籍の企画を売り込む方法でしたが、オファーされて出版したい人はこちらの方法になります。

ブログやSNSで有名になり、出版社から「出版しませんか?」とオファーされるのを待つ方法です。

ただし、この方法はオファーのタイミングを自分で選べないというデメリットがあるので、オンライン講座と連携した出版を行うのは少し難しいかもしれません。

ただし、２冊目、３冊目の出版のときには使えるルートになるので、オファーされるためのブログやＳＮＳの運用をしておいて損はないでしょう。

出版のオファーがあるブログを作るには、当たり前ですが出版に関係あるネタでブログを作り、それが有名になる必要があります。

出版社の編集者に見つけてもらうために、ブログランキングで上位になったり、FacebookやTwitterで拡散してもらえるようなブログを作りましょう。とにかく、「その分野を調べたときに、ちょっと目立つ存在」になる必要があります。

商業出版する内容

商業出版は、オンライン講座の集客につながる内容にしなければ、意味がありません。かといって、オンライン講座の内容をそのまま書籍化したのでは、オンライン講座に申し込む意味がなくなってしまいます。

そこで、書籍とオンライン講座の棲み分けを明確にしておきましょう。

書籍は考え方を重視して、「わかる」ということにこだわってください。そして、オンライン講座はやり方を重視して、「できる」ということにこだわりましょう。

オンライン講座の集客につなげることに意識が行き過ぎると、書籍の内容が薄くなってしまい、読者に失望感を与えてしまい、信頼関係ができないどころか逆ブランディングになってしまうこともあります。書籍の読者はお金を支払って、その書籍を購入してくれた訳ですから、その金額以上の満足感を得てもらえるぐらい出し切ってください。

勘のいい人であれば、書籍を読むだけでできてしまうかもしれません。それでも、それぐらいの方が、読者との信頼関係ができます。また、今回のオンライン講座には申し込んでもらえなかったとしても、信頼関係ができていれば、次の書籍も買っていただけるだろうし、もしかしたら次のオンライン講座には申し込んでもらえるかもしれません。

オンライン講座の集客につなげるための商業出版とはいえ、あまり短期的に考えるのではなく、長期的なブランディングを意識して、どんな内容にするかを考えてみてください。

【出版企画書を書く】

自分から出版の売り込みをする場合、出版企画書が必要です。

この企画書を元に、出版社は企画の是非を判断します。では、どのようにして出版企画書を作るのでしょうか。

出版は、出版社がビジネスとしてやっていることです。出版社が書籍を作るには、大体1冊あたり３００万円の経費がかかります。

書籍が1冊売れたときの出版社の取り分は大体65％くらいです（出版社によって違います）。もし１５００円の書籍が３０００部売れたとすると、３００万円の経費が賄えます。

つまり、出版社としては、この３０００部は最低売れないと赤字になるわけです。ですから、それくらいは売れる見通しがない書籍は出す価値がないと考えられます。

３０００部は確実に売れる見込みがあり、できれば1万部くらいは売れる伸びしろがあると、判断してもらえるような企画書を書きましょう。

最低限必要な企画書の項目は次の5つです。

1. タイトル
2. 企画概要
3. 著者プロフィール
4. 目次案
5. 読者ターゲット

以上が必須項目で、他にもメリットがありそうな追加要素があれば盛り込むようにしましょう。

企画書はA4で2枚ぐらいの分量でまとめてください。スライドっぽく作る人もいますが、これは喜ばれません。シンプルかつ大事な項目を押さえた企画書を書いてください。

02 ― 書籍を出版したら販促キャンペーンをする

［書籍の販促は他人任せにはしない］

出版社で企画の採用が決まったら、著者は書籍の執筆に入ります。書籍の執筆は何カ月かかかるのが普通ですが、あなたの場合はオンライン講座で書籍の骨組みができているうえに、ライターに執筆を頼めばそれほど時間はかからないでしょう。

ライターに頼めば、少ない労力で原稿が書き上がるわけですが、その間、あなたは遊んでいていいわけではありません。

書籍が出るまでに、オンライン講座の準備やできるだけの販促とキャンペーンの準備をしておきます。特に出版をはじめてする人は、書籍は出版したら売れると思っていることが多いですがそんなことはありません。

書籍は出版社の商品なのだから、出版社が販促をするのが当然だという意見もわかります。

出版社もそれなりに販促は頑張ってくれますが、最初からあまりあてにせず、自分でしっかりと販促をする覚悟を持って出版に挑むべきでしょう。意外に思うかもしれませんが、正しくＳＮＳやブログをしていれば、自分の力だけでも結構書籍は売れます。

ただし、ここで忘れないで欲しいのは、本来の目的です。

書籍を売ることは大事で、出版社に赤字を出させるのはよくありません。しかし、このコンテンツビジネスの本来の目的は書籍を売ることではなかったはずです。本来の目的は、書籍を買ってくれた読者さんをしっかりとオンライン講座につなげること。つまり、ただ書籍を買ってもらうだけでは目的を達成していません。最終的な目的を忘れないようにしましょう。

【刊行されたら、まずは販促キャンペーンをする】

出版したら、販促キャンペーンをすることをおすすめします。著者が行う書籍の販促キャンペーンの方法は著者によって違います。

リアル書店で買ってもらうための仕掛けをしたり、Amazonで仕掛けをしたりと方法はさまざまですが、「ある一定の期間を区切って、その期間中に書籍を買って欲しいと読者にお願いし、買ってくれた人に対してお礼をする」という仕掛けをするのがいわゆる書籍の販促キャンペーンです。

書籍は通常の商品と違い、割引して販売することができません。早期割引などの手法は使えないので、プレゼントをつけるなどの工夫をすることでキャンペーン中に書籍を買ってもらいます。

著者が行う販促キャンペーンに否定的な意見もありますが、私は販促キャンペーンをすることをおすすめしています。

普通の著者であれば販促キャンペーンをしなくても構わないかもしれませんが、本書で解説しているコンテンツビジネスでは書籍の販促キャンペーンが必須です。

なぜなら、販促キャンペーン自体がある意味、一番の目的でもあるからです。

先ほどもいいましたが、書籍の売れ行きも大事ですが、出版の目的はオンライン講座につなげることです。オンライン講座につなげるためにはステップメールへの登録が必要ですから、ステップメールを送るためのメールアドレスを獲得しなければなりません。そして、その獲得手段で一番効率的なのが販促キャンペーンです。キャンペーンに申し込む際にメールアドレスを記入してもらい、後々ここにステップメールを配信します。

【販促キャンペーンの準備物】

キャンペーンの準備はセールスページと特典の作成です。「何月何日何時から、何月何日何時までに買ってください」と告知しなければいけませんから、まずはそれを伝えるためのセールスページを作ります。セールスページでは買ってくれた人に対してどんな特典があるのかを伝えます。「こんなお得な特典があるなら、この期間に買っておこう」と思わせるような魅力的な特典を用意しましょう。

［販促キャンペーンの特典はどんなものがあるのか］

特典で悩まれる著者さんも多いですが、販促キャンペーンの特典は３パターンで考えるとよいでしょう。

特典①　書籍のテーマに関する特典

書籍の内容をサポートする特典を用意しましょう。

具体的には、教材、音声、ＰＤＦ、動画、アプリなどです。これを書籍を買ってくれた人全員に配布します。

特典②　著者に関する特典

次に、抽選して当選者だけが受け取れる特典をいくつか用意します。

これは著者に関するものがいいでしょう。例えば、あなたが北海道に住んでるのなら北海道の名産品にするなどの、自身のパーソナリティにちなんだ何かを特典にして提供します。住居地だけでなく、趣味に関するものにするのもおすすめです。例えばラーメン好きな人なら自分が厳選したおすすめラーメン店舗のテイクアウトメニューのような形にすると面白いかもしれません。

その著者ならではのものが応援する側としては嬉しいので、オリジナリティのある特典にして欲しいと思います。これは金銭的に持ち出しになるので、申し込んでくれた人全員にプレゼントというわけにはいかないと思います。抽選で1名~10名ぐらいが当選する範囲で用意するとよいでしょう。

特典③　講座につながる特典

講座につながる特典、つまり各地のセミナー参加権や、複数冊購入者にセミナーを主催できる権利を与えるといった内容の特典です。

セミナーの場合、東京で20名、大阪で20名のような形で「総勢何名にプレゼント!」のような派手なプロモーションができるのでおすすめです。

こちらももちろん抽選でかまいません。

特典①〜③をうまくミックスすることで、キャンペーン参加者全員に喜んでもらえます。

全ての人に喜ばれるような特典を考え、たくさん申し込んでもらってください。

03 ─ 書籍を著者購入して商工会議所に献本しよう

【著者購入して商工会議所に献本する】

販促キャンペーンの他にも、オンライン講座につなげる方法はあります。その中のひとつが、自分の書籍を著者購入して、商工会議所などに献本するというものです。

通常、書籍は書店で購入しますが、著者が出版社から直接仕入れると割引してもらえます。それを利用して、著者が自分でまとまった数の書籍を購入することを「著者購入」といいます。宣伝広告費が捻出できるなら、自分の書籍を著者購入して宣伝に使いましょう。

商工会議所をご存知でしょうか。商工会議所とは、全国に大体500箇所くらいある、主に中小企業の商工業の改善や発展を目的とした経済団体です。商工会議所では、セミナーや講演会などが頻繁に行われています。

著者購入した書籍は、この商工会議所に献本してみてください。献本時にはセミナーの企画書を同封し、商工会議所のセミナー講師として登壇させてもらえないかお願いしてみましょう。

商工会議所でセミナー講師をすると、５万円〜10万円くらいの講師料がいただけます。ただし、狙いは講師料ではありません。全国でセミナーをすれば、そこで知り合った人たちをオンライン講座の集客につなげられますし、コンサルの依頼が発生することもあります。新しいビジネスや人脈が生まれるチャンスがたくさんあるのです。収支がトントンだとしても、積極的にセミナーに呼ばれるようにしましょう。

セミナー講師が不足しているという理由から、特に地方の商工会議所は狙い目です。地方の商工会議所でセミナーをする場合、ギャラとは別に交通費や宿泊代を出してもらえるので、持ち出しはありません。ついでに地方の書店の営業や読者との交流もできるので、それだけでも十分お得です。

全国５００箇所の商工会議所へ書籍を送る場合、５００冊の書籍が必要になります。一冊１２００円の書籍を５００部買い取った場合、60万円の経費がかかりますが、この経費は、６～12件のセミナーのオファーがあれば回収できると考えられます。５００箇所の商工会議所のうち、６～12件からオファーと考えると、そう難しくもない気がするのではないでしょうか。

書籍は最大の宣伝ツールなので、商工会議所への献本以外にもさまざまな場面で活躍してくれます。ぜひ活用してみてください。ちなみに、自分の書籍のテーマが商工会議所に合わない場合は、テーマが合致する業界団体などに書籍を送るのがおすすめです。

第6章

ブログやSNSを使って
ファンを獲得する

01 ― ブログやSNSで自分のファンを獲得するには

【自分のファンを獲得する2つの考え方】

コンテンツビジネスでは、自分のファンになってもらうことが最終的な目的になります。頑張ってコンテンツを作っていれば自然にファンが集まるわけではありません。戦略を持ってファンを獲得する方法を本章で学んでいきましょう。

ファンを獲得するために大事な考え方があります。それが次の図になります。その図を見ていただくとわかりますが、ファンには「コンテンツのファン」と「あなた自身のファン」の2種類があります。

前者は、あなたの作り出すもの、あなたが教えてくれるノウハウのファンです。あえて乱暴にいってしまえば、コンテンツの質さえ担保されていれば、あなたが発信したものでなくても構わないとお客さまは思っています。

お客さまがほしいのはコンテンツそのものであり、それを作っている人はどうでもいいのです。

後者の「あなた自身のファン」はその逆で、あなたのコンテンツのことはよくわからない部分が多いけど、あなたのことが好きという人たちです。

あなたのキャラクターや人間性、あなた自身が好きということです。

例えば私であれば、出版プロデュースの仕事をしているので、出版する方法を知りたい人は私のコンテンツのファンになってくれます。しかし、それはあくまで私の発信するコンテンツのファンであって、私の書いたブロ

●　ファンを獲得するために大事な考え方

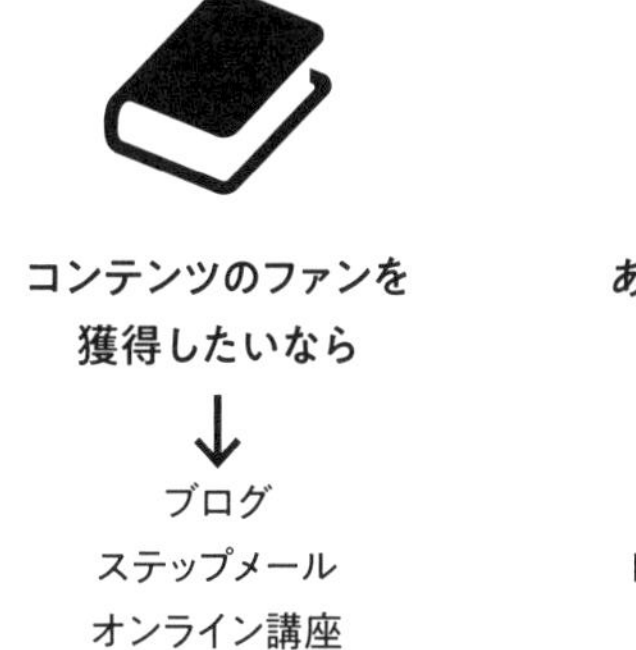

コンテンツのファンを獲得したいなら	あなた自身のファンを獲得したいなら
↓	↓
ブログ ステップメール オンライン講座	Facebook LINE 公式アカウント オンラインサロン

グを読んだときに誰が書いてるかは実はどうでもいいと感じています。
でもそこから、SNSを見てくれたり、セミナーや懇親会でコミュニケーションを取ることで、だんだんと私自身に興味を持ってくれるようになります。
私を知ってもらった結果、山田さん面白いよねとか、山田さんと飲みたいなと思わせることができたら、私のファンになってくれたということです。
そうなれば、私の事業に興味を持たなくなっても「山田さんって面白いことしてるな」とずっとつながって応援してくれる状態になります。

コンテンツのファンと自分自身のファンでは、ファンになってもらい方、引き寄せ方が違います。

コンテンツへ引き寄せる場合は、ブログやステップメール、オンライン講座などのコンテンツの力で引き寄せられるメディアで獲得します。

何かわからないことがあったとき、人はネットで検索します。ブログは誰が書いたのかはわからない状態で検索結果が出てきます。その中から好きなブログを選んで読むわけですが、それで素晴らしいブログに出逢ったら、そのブログのファンになります。結果的に誰が書いたブログかというのは二の次になっています。

オンライン講座も同じですね。コンテンツの内容を受講したいと思って申し込んでくれるので、申し込んでくれた時点ではまだファンになってもらえてないはずです。

これらの人達に自分自身のファンになってもらう方法は、コンテンツのファンとして取り込んだ人たちをあなた自身のファンに育てることです。

具体的には、オンライン講座に参加してもらい、そこで人間性や性格を知ってもらうことで、自分自身のファンになってもらいます。ですから、まずはコンテンツのファンを獲得する必要があります。そのためにも、まずはブログを開設してみましょう。

【ブログは万人受けより、マニア受けを目指す】

コンテンツのファンを獲得するツールとして中心になるのがブログです。

既にいろいろな人がブログを書いていて、あなたの競合もブログを作っている場合もあるでしょう。世の中にブログは有り余るほどあって、検索したらいくらでも情報が出てくる状態で、あなたが後発組だとしたらどうやって戦略を立てればいいでしょうか。

その答えは、ピンポイントでマニア受けするブログを目指すことです。万人に刺さるブログではなく、「この情報が欲しかった」とピンポイントで狭く深く届く情報発信をすべきです。切れ味の鋭い、尖った情報発信で、ライバルに差をつけてください。

尖るのが大事だといっても、偉そうにオラオラな態度を取れというわけではないので、そこは勘違いしないでください。

尖るとは、見せ方のスタンスの問題ではなく、コンテンツの切り口のことです。

ファンを増やしたいばかりに、いい顔をしてしまい、厳しいことがいえないという人も多いですが、人に嫌われることを恐れてはいけません。

叩かれるのが怖い気持ちはわからなくもないですが、それを恐れすぎて誰にも刺さらないような発信ばかりになってしまうと、読み手も熱量を持って読んでくれません。自分のことに思えないのです。深く読み込んでもらって、ファンになってもらいたいなら、嫌われることを恐れずにいきましょう。

「2：6：2の法則」というのがあります。これは、とある事象を見たとき、それを好きになる人が2割、どうでもいい人は6割、嫌いになる人が2割になるという法則です。

仮に叩かれたとしても、2割の人だけです。たった2割のために遠慮したり恐れることなく、どんどん発信するようにしてください。

そして、その2割の人たちは、何をやっても嫌いになる訳ですから、気にするだけ時間の無駄です。

「自分はこういう人に向けて発信している」というスタンスを明確にしておくと、それ以外の人たちに何をいわれても気にならなくなるのでおすすめです。自分のお客さま以外の人に何をいわれても「あなたはお客さまじゃないし、どうでもいいですよ」という気持ちになれて楽になります。

【SNSは自分をより知ってもらう場所】

SNSは、ブログとは違って自分自信が商品になります。ブログはコンテンツが商品でしたが、SNSはその逆です。自分のことをより知ってもらう場所だということを、まず知っておいてください。

SNSでは、自分の専門性をアピールしつつ、役立つ情報を発信して何かしら読み手にプラスになるような情報を届けます。

とはいえ、ただただノウハウを理屈で語るのなら、ブログと変わりません。SNSでは「私はこう思う」という自分の価値観や判断基準を、もっと具体的に織り交ぜた情報発信がより大事になってきます。

単純に自分の専門性からノウハウを語るというよりは、「私はこう思っています」というような自分の考えや思考を発信していきましょう。

SNSでは、自分の投稿でお客さまをセグメントするんだという意識を持って発信します。

自分が好きなこと、嫌いなことをどんどんアップすることによって、価値観が相容れない人は離れていきますし、共感する人は近づいてきます。

「私は合わない人と仲良くなりませんし、価値観が合わない人は最初から近寄らないでくださいね」という意味も込めて、自分の価値観や自分の好きなこと・嫌いなことを投稿してください。こういうひとつひとつがあなたのSNS上でのイメージを作ってくれます。

誰でも受け入れるような投稿ばかりしてしまうと、自分と合わないような人達もいっぱい集めてしまいます。こういった人たちを集めすぎてしまうと、結果的にお客さまとトラブルになります。

02 ― ブログのデザインを作る

[ブログは必ずカスタマイズすること]

ブログは自分のメインとなるメディアです。書籍を出版したりオンライン講座を運営している専門家のブログとしてふさわしいブログを作るようにしましょう。

ブログはWordpressを使って制作するようにしましょう。アメブロやはてなブログなどのブログサービスを使うよりも、Wordpressで作った方がプロっぽく品格のあるブログを作ることができます。

あなたは専門家なのですから、アメブロやはてなブログなどの人のサービスを使うのではなく、自分で1からメディアを作成しましょう。

Wordpressでしっかりと独自ドメインを取得して運営するようにしてください。

Wordpressのカスタマイズは、「テーマ」を使えば簡単にできます。

テーマは無料から有料までさまざまなものがありますが、無料のものでもよいものがあります。私がおすすめするのは「Cocoon（コクーン）」というテーマです。これは無料のテーマなのですが、扱いやすく、便利で高機能なテーマです。

無料でこれほどのクオリティのあるテーマは他にはないといえるほど、有名でプロっぽく見えるデザインなので、テーマを探している場合は検討してみてください。

● Cocoon | WordPress無料テーマ

https://wp-cocoon.com/

【おすすめするカスタマイズ】

WordPressで作るブログサイトは、見た目やデザイン性も大事ですがSEO対策やユーザビリティも大事です。

SEO対策のためのカスタマイズと、お客さまが見やすくなるようなカスタマイズの両方を意識してカスタマイズしましょう。

SEO対策とは、検索結果で上位表示されるようにするためのテクニックです。テーマには既にSEO対策の設定が済んでいるものがあります。先ほど紹介したコクーンにも設定されています。

具体的なブログの設定やデザインを考えてみましょう。

まずは、グローバルメニューからです。グローバルメニューとは、ヘッダー画像のすぐ下にある横並びのメニューのことです。横並びで5個くらいのメニューが並んでいることが多いでしょう。

ブログを作ったときにやって欲しいのは、訴求したい内容をグローバルメニューに入れることです。具体的には次のような内容になります。

- 各ステップメールのセールスページへのリンク
- カテゴリー一覧
- サービス案内
- プロフィール
- お問い合わせ（内容ごと）

グローバルメニューはヘッダーの直下にあるので、一番見られやすい場所です。その意識を持つと、このようなメニューになります。

一番クリックされる数が多いのは最も左です。二番目に多いのが最も右で、三番目に多いのは左から二番目、四番目は右から二番目で、一番少ないのが真ん中です。

この順番を意識して優先順位をつけながらグローバルメニューを設置すると、一番クリックされるところには、ステップメールのセールスページへのリンクを配置することになります。

オンライン講座の数が増えてきたらメニュー名を「メール講座」のようにして、プルダウンメニューで複数のセールスページを追加していく形にするといいでしょう。

その次は「カテゴリー一覧」として、このブログの記事のカテゴリーを追加するメニューを配置します。ここからどんな内容のブログ記事があるのかを一覧で見えるようにしておきます。

そして、あなたのサービスを紹介するリンクです。一番クリックされないところにサービスを入れるんだと驚いた人もいるかもしれませんが、興味のある人は絶対に見る項目だからこそ、クリック率は関係ありません。

次はプロフィールへのリンクです。ブログの1記事で、しっかりとプロフィールを書き、その記事にリンクで飛ばすようにしましょう。

一番右側には、問い合わせへのリンクを入れます。お問い合わせでは、複数の問合せ窓口を持つのがおすすめです。一般のお客さま向けの問い合わせ窓口とは別に、「メディア用の問い合わせ」の窓口も作っておきましょう。「執筆のご依頼はこちら」「取材のご依頼はこちら」のようにメディア向けに問合せ窓口を作っておくと、メディア関係者は安心感を持ってあなたにオファーのメールを出せます。

プルダウンメニューの形で、一般のお客さま向けのお問い合わせ、メディア向けの問い合わせ、セミナー用のお問い合わせと、最低3つの問い合わせを用意しましょう。

【サイドメニューは常に見てもらいたいものを入れよう】

グローバルメニューの設定が終わったら、次はサイドメニューの設定をしましょう。サイドメニューは、全てのページに表示されるものなので常に見せたいものを載せます。

具体的には次のような項目を設置しましょう。

- プロフィール
- LINE公式アカウントのリンク
- 各ステップメールのセールスページのリンク
- 人気記事一覧
- 最新記事一覧
- サイト内検索

● メニューのレイアウト例

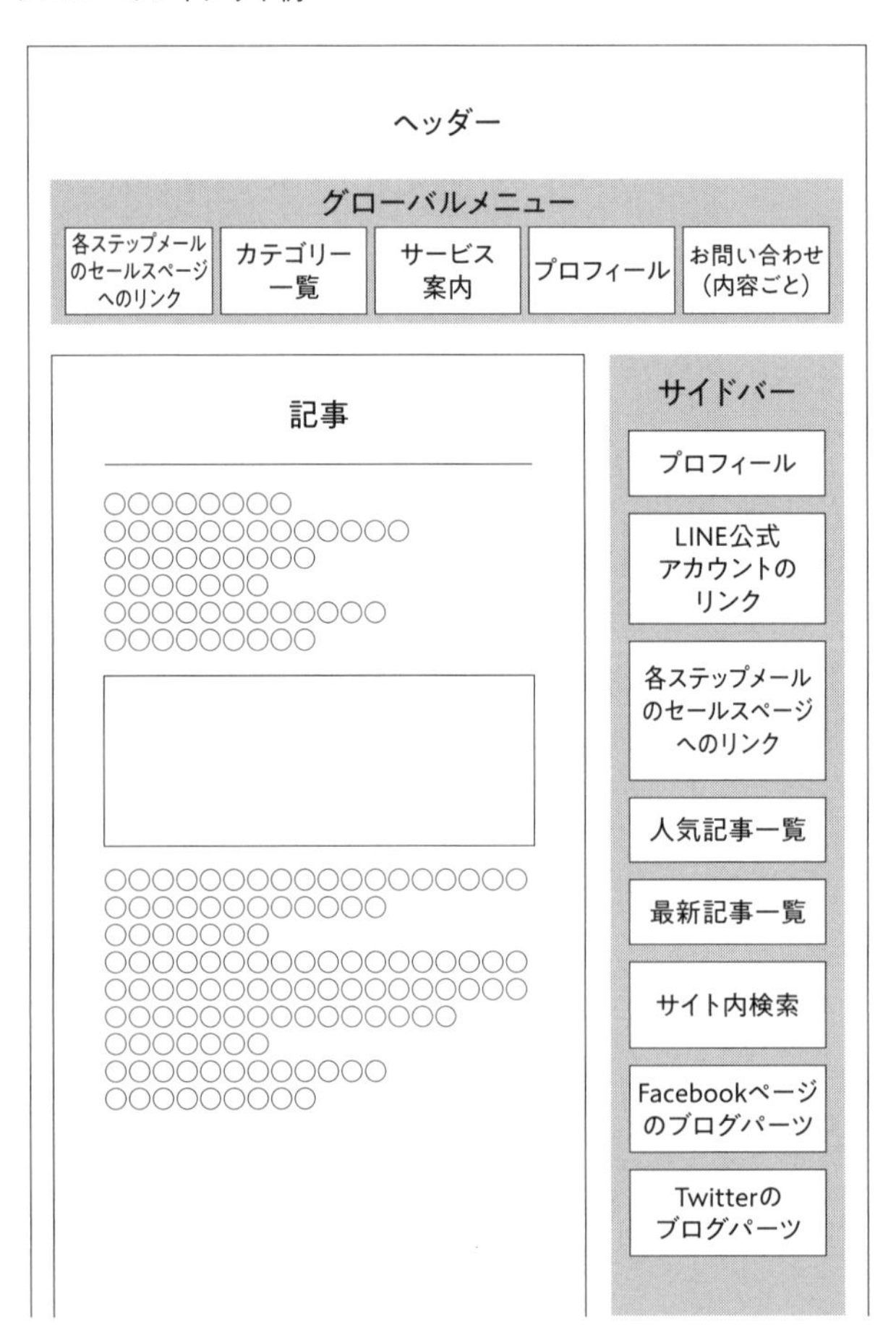

- Facebookページのブログパーツ
- Twitterのブログパーツ

登録してもらいたいものを列挙して、特に大事なものから設置していきましょう。

03 ― ブログに記事を投稿する

【最後まで読まれる記事にするために】

ブログのデザインが終わったら、ブログに記事を投稿していきましょう。記事を投稿するときに気を付けることは「最後まで読まれる記事にする」ということです。

当たり前の話ですが、どんなにいい記事でも、最後まで読まれなければ意味がありません。最後まで読まれる記事にするためには、どうすればいいかというところからお話をしていきたいと思います。

文章は読みやすさを重視してください。読みやすさを左右する要素は色々とありますが、まずは見た目です。文字の大きさや装飾、行間のことですね。

文字は大きければ読みやすいわけではありません。大きすぎると逆に読みにくくなるので注意してください。行間も同じで、開けすぎると読みづらくなります。

文章の中に強調したい部分が出てきたとき、ブログでは太字や赤字などの文字装飾を使ったり、文字を大きくしたりして目立たせることが多いのですが、こういった装飾も、やりすぎると目がチカチカして読みにくくなります。

強調したいところがあっても、なるべく太字＋赤字くらいに留めておきましょう。それでも十分、強調の意図は通じます。

ブログの読者をオンライン講座や書籍に誘導するという目的を考えると、見せ方にこだわるよりも、内容をしっかり読んでもらうことを重視すべきです。見た目で誤魔化して上部だけ魅力的に見せても意味がありません。落ち着いて読んでもらって、深く内容を理解してもらえるようなブログ記事にすることに全力を尽くしましょう。

記事を最後まで読んでもらう工夫のひとつが「目次をつける」ことです。WordPressには、記事に目次をつけるプラグインがあります。これを使えば、ボタンひとつで目次を実装できるのでおすすめです。

目次は、見出しを抽出して自動的に作られます。目次として抽出されることを最初から意識して、わかりやすい見出しをつけるようにしましょう。

見出しは階層構造になるように作ります。大見出し↓中見出し↓小見出し↓さらに下の階層……とどんどん深く階層を作ることはできますが、あまり階層は深くしすぎない方がいいです。大見出しと中見出し位までで留めておきましょう。

ブログには、図や写真を積極的に入れてください。文字だけのブログは読む前に敬遠されたり、途中で飽きて離脱されたりしやすくなります。ストイックに熱い文章を書いていると、ついつい長文を書いてしまいがちですが、途中に写真や図を挟むことで読者の理解度も増します。アクセントになって、読みやすくもなるので、文字だけにならないように意図的に写真も入れてあげるようにしてください。

【ブログ記事を書くときの注意点】

ブログはコンテンツのファンを獲得する必要があるので、投稿するべきなのは誰かの役に立つノウハウ記事です。

ノウハウ記事を書くために大事なことは次のようなことです。

- 文字数はひと段落1000文字以上
- 代名詞はできるだけ使わない
- 短文構成で書くことを意識
- 同じ文末を繰り返さない
- 「～と思う」「～だろう」は使わない
- 記事数を増やすより追記する

ブログの記事は、1記事1000文字以上にしましょう。見出しは、大体3つか4つ、多くても5つぐらいでいいでしょう。あれ、それ、これ、などの代名詞は、記事内でなるべく使わないでください。代名詞を使うと記事内のキーワードの出現頻度が減ってしまいます。なるべく固有名詞で文章を書くことで、キーワードの出現頻度が上がり、検索にひっかかりやすくなるので、代名詞は使わず、固有名詞を意図的に使っていきます。

文章を書き慣れていない人によくある傾向として、1つの文章がものすごく長くなるということがあります。1文が長くなればなるほど、前半で何を言っていたのかわからなくなるので、おすすめできません。長い1文を書くよりも、それを3つぐらいに切って短文構成にした方が理解されやすくなります。なるべく短文で伝えるようにするように心がけてください。

また、以前書いた記事と同じテーマで追加のノウハウをブログに書きたいときは、既存の記事に追記する形で書いてください。

記事数を増やすことを意識して、新記事として書くのをおすすめしている書籍などもありますが、似た内容の記事を増やすより、追記の形の方がおすすめです。既存のブログの内容をどんどん濃く太いものにしていくようにしましょう。

コメントで読者から質問が来ると思うので、その度に記事を修正、加筆し、満足度の高い記事にブラッシュアップしてください。

そうすることで、自分のブログに足りないことが見えてくるので、次は最初から完成度の高い記事を書けるようになってきます。

【記事を読み終わった後が一番重要】

繰り返しになりますが、ブログの最終的な目標は書籍やオンライン講座につなげることです。

次につなげるためには記事を読み終わったあとにとってもらうリアクションが一番大事です。記事を読んで「なるほど」「ためになったな」と思ってもらったそのときに何に誘導するのか。ここが重要になります。記事の最後には、読者にとって欲しいリアクションを想定してリンクを入れておくようにしましょう。

具体的には、次の3つのいずれかになります。

リアクション誘導①セールスページへのリンク

読み終わった後の、一番気持ちが盛り上がってるときにそのままの勢いで登録してもらえるよう、ステップメールのセールスページを仕込みましょう。

読者の「もっと学びたい」という気持ちを冷めさせないまま、次のステップに進んでもらえます。

リアクション誘導② LINE公式アカウントへのリンク

コンテンツの内容よりあなた本人に興味を持たれた場合のため、LINE公式アカウントのURLを貼るといいでしょう。

リアクション誘導③ 関連記事へのリンク

オンライン講座やLINE公式アカウントに登録してもらえるほど興味を持ってもらえなかった場合もあります。そんなときのために、関連記事一覧を記事下に入れておきます。そうすることで、他の記事に誘導し、さらに理解を深めてもらえます。

関連記事はブログに欠かせないリンクです。関連記事へのリンクがあると、ブログ内を読者がグルグルと回遊してくれます。そうやって記事をたくさん読んでもらうことで、自分との信頼関係が深まっていくので、どんどん回遊してもらいましょう。

04 LINE公式アカウントへの登録者を増やす理由

【プッシュ型のメディアを持っておこう】

ＬＩＮＥ公式アカウントへの登録者を増やす理由の1つに、「ＬＩＮＥはプッシュ型メディアだから」という理由があります。プッシュ型って何？　と思った人のために、そこから説明していきましょう。

メディアは、受け取り方の違いから「プル型」と「プッシュ型」にわかれます。まず「プル型」はお客さまから来てもらうメディアのことです。ブログやFacebookなどのことで、あなたが更新したコンテンツをお客さまの方から見にきてもらう形のメディアです。

新規のお客さまに知ってもらうには「プル型」が大事ですが、「プル型」には、こちら側から連絡を取りたいときに取れないという弱点があります。お客さまの見たいと思ったタイミングでしか見てもらえないということです。例えば新しいオンライン講座がはじまったり、何かセミナーを企画したりしたとき、向こうがたまたま見にきていなければ、知ってもらえません。

そこで、こちらから連絡ができるような形のメディアが欲しくなるわけですが、それが「プッシュ型」のメディアです。「プッシュ型」はＬＩＮＥ公式アカウントやメルマガのような、こちらからアクションできる形のメディアなので、告知や情報共有に最適です。

検索結果からブログを見てくれて納得してくれた人には、ＬＩＮＥ公式アカウントへの登録を促すべきです。

そのままブログを離れられると、その次にまた同じブログに訪れてくれる可能性は極めて低いものになります。せっかくご縁があってブログを見てもらって悩みが解消、喜んでもらえたのにも関わらず、そうなってしまうと非常にもったいないです。

【ステップメールとLINE公式アカウントの使い分けについて】

同じプッシュ型のステップメールとＬＩＮＥ公式アカウントの使い分けについて混乱する人もいるかと思うので、ここでこの2つの上手な使い方についてお話ししておきます。

結論からいうと、コンテンツに興味があったらステップメール、自分に興味があったらLINE公式アカウントに誘導するのがよいです。

つまり、コンテンツのファンか、自分のファンかということですね。もちろん、最終的には2つ共に登録してもらえるのが理想的なので、どちらに先に登録してもらうかの話です。

ただし、ステップメールは基本的に教育用のメディアなので、予定する配信が終わったら終了してしまいます。

ですからここでLINE公式アカウントへの誘導を忘れないでください。せっかくメールアドレスを持っているのですから、そのままメールマガジンのようにして送ることもできますが、安易にその方法は取らずに、属性によってメルマガとLINE公式アカウントへ分けるべきだと思います。

メルマガとLINE公式アカウントは同じように告知や情報共有ができますが、私はどちらかといえば、LINE公式アカウントの方をおすすめしています。

ＬＩＮＥ公式アカウントの方が単純に開封率が高いうえに、送る文字数も少ないので送り手も、受け取り手も手軽に利用できるからです。

とはいえ、ＬＩＮＥ公式アカウントに無闇に登録してもらっても意味がありません。大事なのは、やはり「自分に興味を持ってくれた人に登録してもらう」というところです。単にＬＩＮＥ公式アカウントの開封率が高いというところばかりに注目が行き過ぎてしまうこともありますが、そもそもファンになってもらっていなければ、未読のバッジを外すために一瞬開いて閉じられて終わりです。

ＬＩＮＥは本来、コミュニケーションツールです。誰かからＬＩＮＥが届いたら、ちょっとワクワクする気持ちになります。そこで、興味のないコンテンツのメルマガ代わりのＬＩＮＥならガッカリしてしまいます。それが続けば、最終的にはブロックされてしまうでしょう。

開封率が高いことと精読率が高いことは全く違うものです。開封率も大切ではありますが、精読率の方が重要です。精読率を上げるためには、あなたからのＬＩＮＥを楽しみにしてもらわないといけません。あなたの活動に興味があって、例え告知であってもあなたからのコンタクトを楽しみにしてくれる人を集めるようにしましょう。つまり、あなた自身のファンということになります。

【LINE公式アカウントの注意点】

自分に興味を持った人に登録してもらうのが大事と何度いっても、闇雲に登録数を増やそうとする人がいます。

「特典やプレゼントをあげるのでLINEアカウントに登録してください！」というような手法です。これは、あまりやらない方がいいです。

当たり前ですが、特典目当ての人は目当ての特典が手に入ったらブロックするので、あ

● LINE公式アカウントを運営するメリット

- **LINEユーザーが多い**
- **登録が簡単**
- **開封率が高い**
- **文字数が少なくてもよい**
- **機能が豊富で即効性がある**
- **リアクションがもらいやすい**

そもそもLINE自体がコミュニケーションツールなので、
コンテンツより人間性で登録してもらう。

まり意味がありません。

ＬＩＮＥ公式アカウントは、送信する数によって金額が変わるので、見てくれるかどうかわからない、興味がない人たちを無意味に集めるとその分無駄なお金もかかります。

きちんと興味を持ってくれて、その後の話を聞いてくれる可能性の高い人だけを最初から集めるようにした方が、効率的です。

気をつけながら使えば、ＬＩＮＥ公式アカウントはおすすめのプッシュ型メディアです。ぜひ利用してください。

05 Twitterでブログの内容を拡散する

[Twitterの拡散力は侮れない]

検索からブログ記事にアクセスしてもらうのも大事なのですが、SNSでの拡散から読者を取得するのも同じくらい大事です。

おすすめのSNSはやはりTwitterです。さまざまなSNSがある中でおすすめになる理由は、なんといっても抜群の拡散力でしょう。

Twitterは匿名での運営も可能なので、気軽なアクティブユーザーがとにかく多いイメージがあります。交流やシェアが盛んで、広く拡散できる土壌が整っています。このような理由から、いまだにTwitterが一番拡散力があります。これを、コンテンツビジネスでも活用しないわけにはいきません。

拡散させるためのTwitter攻略のキーワードは「共感とメリット」です。

フォロワーにどれだけメリットを与えられるかと、フォロワーにどれだけ寄り添えるのかということです。自分を売り込みたいのが見えすいた投稿や、共感できない無機質な投稿では、フォロワーは拡散してくれません。

たまにならそういう投稿をしてもいいですが、基本は読者のためになる、読者に共感してもらえる投稿にしましょう。

【Twitterの設定とプロフィール】

Twitterの設定はしっかりと作り込みます。実例を見た方がわかりやすいと思うので、私の観光列車評論家としてのTwitterアカウントのプロフィールを例として紹介します。

まず重要なのは写真です。プロフィール写真を見ただけで、あなたがどのような人物なのかがわかる写真を使いましょう。私の場合は、観光列車の車掌の帽子をかぶらせてもらっている写真ですね。この写真を見ただけで、列車と何か関係ある人なのかな？　と思ってもらえるはずです。

　プロフィール写真と同じく、ヘッダーでも画像で自分をアピールしましょう。

　私の場合は、出版した書籍の書影を載せています。出版をしているということで、「他の鉄道マニアとは少し違うぞ」という違いを見せつけるためにあえて載せています。


　一番大事なのは名前です。私は「観光列車評論家@山田」としています。なぜ山田を後ろに持ってきたかというと、名前では検索されないからです。検索されたい単語をより左に配置するのは、SEO対策の基本です。

　実際に「観光列車評論家」と検索してみてください。私のアカウントが最初に表示

● Twitterのプロフィール設定

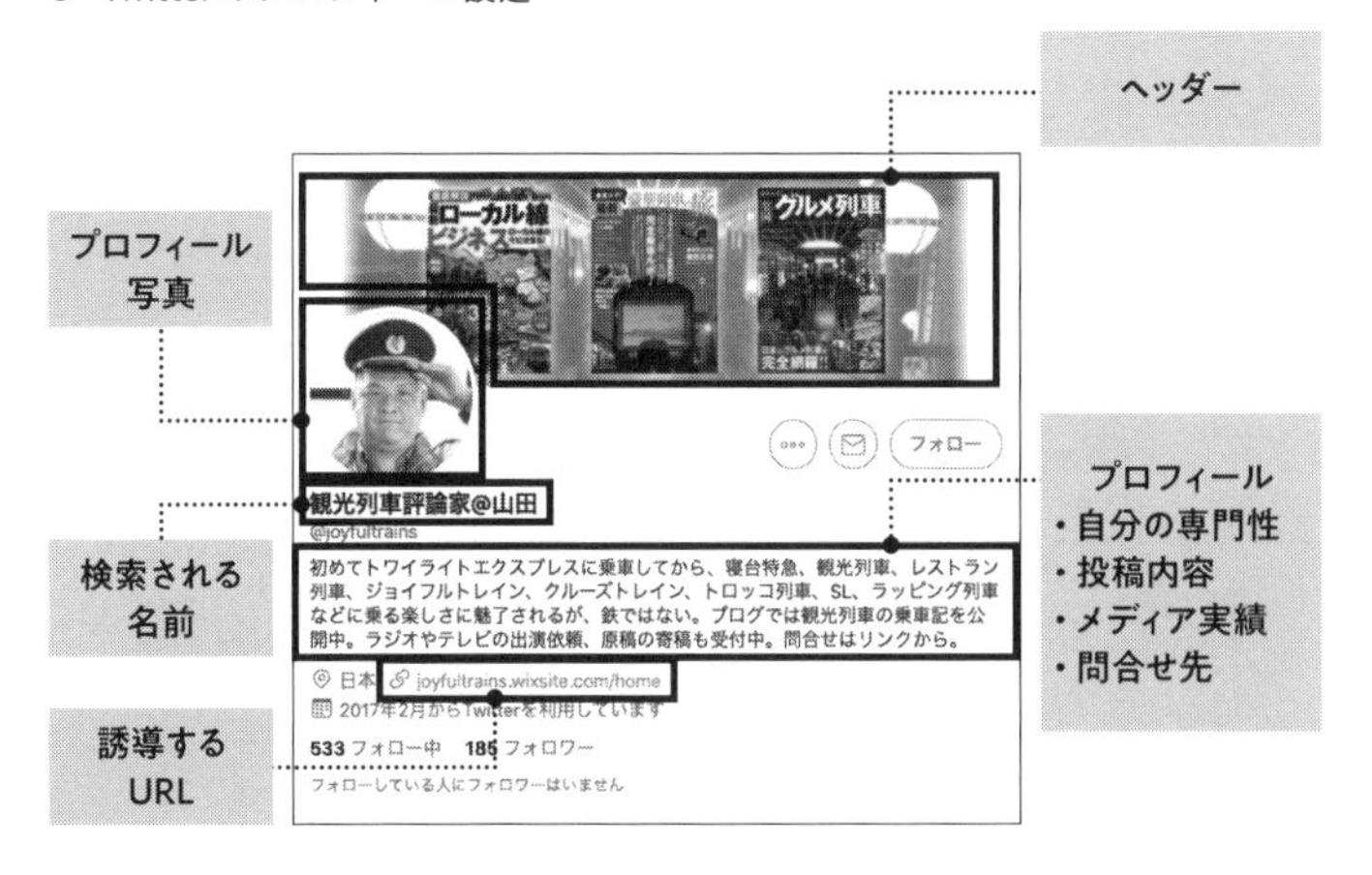

されるはずです。こうやって「観光列車評論家」で専門家を探している人からたくさんの仕事のオファーをいただきました。

あなたも、その肩書きで有名になりたいなら、名前よりも肩書きを先に書きましょう。そうすれば、検索で探してもらえるはずです。

SNSで語るべきプロフィール文章は、いわゆるストーリーで語るプロフィールとは違います。書くべきは、SNSで友達になってもらうためのプロフィールです。SNSであなたを見つけてくれた人は、「この人と友達になろうかな？」という目線でプロフィールを見ています。この目線を意識してプロフィール文章を書きましょう。

まず書くべきは、自分が何の専門家かということです。そのうえで、どんな内容の投稿をしているのかなどを書きます。

私の場合、問い合わせ先として、誘導リンクにホームページのURLを掲載しています。このようにした理由は、問合せの前にホームページを見てほしいからです。ホームページで確かな実績があると理解してもらったうえで問い合わせをして貰えるように、このような流れにしています。

【売上につながる投稿あれこれ】

ＳＮＳは自由に投稿する場所です。ただ、売上につながる投稿にしたいのなら、ある程度ルールを作って運用していかなければなりません。売上につながる投稿は、大体の場合は３つの投稿パターンにわかれます。

ツイート①　ノウハウ

フォロワーにとってメリットのある投稿をしなければいけませんが、毎回０から投稿を作っていくと大変です。そこでおすすめの方法はブログ記事の内容を細かく分解して、それをノウハウとして投稿する方法です。１つのブログの記事の中には大体複数のノウハウが詰まっているので、それを３つか４つくらいに分割して投稿しましょう。

ノウハウの投稿はＰＲＥＰ法を使って投稿するのがおすすめです。ＰＲＥＰ法とは、最初に結論をいって、その後その結論にたどり着く理由を説明し、最後に再び結論をいう解説手法です。

何かを伝えるときには、これが非常に伝わりやすく、短文構成にできるのでＳＮＳにはぴったりの文章法です。

ツイート② アンケート結果

オンライン講座のアンケートの結果からツイートを作りましょう。オンライン講座の卒業生にとったアンケート結果を元に、「こういう悩みを持っていた僕がこのオンライン講座を受けてこうなりました」という形で紹介します。最後にステップメールのセールスページのURLを紹介するといいでしょう。頻繁にやるとフォロワーに売り込みが強いと思われるので、程々にするのがポイントです。

ツイート③ ブログの更新情報

ブログ記事の記事タイトルと記事のURLをツイートします。

ただURLをツイートするだけでは誰も読んでくれないので、この記事を読んだ方がいい理由も一緒に投稿できたら理想的です。

ノウハウでフォロワーとの信頼関係を深めて、アンケート結果やブログの更新情報で誘導するという流れになります。なので、アンケート結果やブログの更新情報の投稿が多くなると嫌われてしまいますので、注意してください。

【BOTで自動的に投稿する】

毎日ツイートするのが面倒だという人は、Twitterの自動投稿を検討してみてください。私のTwitterの投稿も、BOTで自動化されています。BOTとはTwitterの投稿ロボットです。Twitterに投稿する内容を最初に決めてツイート内容をデータ化し、それをBOTに設定すると、設定通りに投稿してくれる機能を持っています。

ツイートはエクセルを使って管理するので、何千ものツイートをストックすることが可能です。投稿する曜日と時間の設定もできるので、出勤時間やお昼の休憩時間、帰宅時間などに合わせて1日何度かツイートするような戦略を立てられます。

私が使っているBOTサービスでは、登録したツイートが1周終わると、2周目3周目と自動的にループしていく設定ができます。つまり、一度登録してしまえば永久にツイートし続ける仕組みになっているということです。私の場合は、1年で1周するように設定しています。1周目と2周目は同じ順番で流れるわけではなく、登録したツイートの中からランダムでツイートされるようにしています。この方法なら、前に投稿したものを覚えていない人がほとんどなので、翌年も新鮮に感じてもらえます。

【見つけてもらうためのハッシュタグ】

投稿を見つけてもらいやすくするために、ハッシュタグを入れるようにしましょう。私の場合、各投稿にそれぞれ3つ〜5つくらいのハッシュタグをつけるようにしています。

ジャンルに関するハッシュタグは、ジャンルの抽象度で大・中・小のテーマごとに3つのランクで選ぶようにするとよいでしょう。瞬間風速的に流入が見込めるような話題のハッシュタグやニュース性の高いハッシュタグも、内容とマッチしているのであれば入れてみましょう。このようなハッシュタグを使うと拡散力が上がります。ただし、ツイートをBOTで運用する場合は、流行性のハッシュタグが時代遅れになる場合もあります。BOTに登録するハッシュタグは普遍的なものだけにしましょう。

06　Facebookページを開設して連携させておこう

[Facebookページは絶対に作っておこう]

Facebookページは、必ず作っておいてください。

Facebookページは、オンライン講座の名前でなくて「自分の名前」で作るのをおすすめします。本書で紹介するコンテンツビジネスを実行していくと、1年に1冊のペースで書籍を出版し、オンライン講座を作っていくことになります。

もし出版が1冊だけで終わるなら、そのタイトルでページを作ってもいいですが、今後も続けていくなら、オンライン講座や書籍を出すたびに新しいページを作らなければいけなくなります。管理も宣伝も大変になるので、全ての自分の活動報告の拠点としてFacebookページを使うといいでしょう。今後の自分の出版やオンライン講座リリースなどの全てをこの自分の名前のページで紹介していくイメージです。

Facebookページの最初の投稿で、Facebookページの説明をしましょう。誘導したいステップメールを固定の投稿に入れて、必ず見てもらうようにします。

それができたら、写真、テキスト、グループなどを使いこなし、自由にFacebookページを作ってください。

書籍の書影は写真のアルバムを作って「実績」というふうにまとめるなど、工夫次第でさまざまなアピールができます。テキストで受講者の声、グループでサポートグループやオンラインサロンを運営すると、Facebookページに自分の活動を集約できます。

【Facebookページ作成のポイント】

私が運営するFacebookページの一つを紹介します。

このFacebookページは会社のページになるので、アイコンは会社のロゴを使用しています。あなたがもし会社を運営しているなら会社のロゴをアイコンにするのもいいと思います。個人であれば、顔写真を入れるといいでしょう。

ヘッダーは、うちの会社で発行した書籍をコラージュした画像にしています。

アカウント名はFacebookページのURLにも入るので、しっかりと設定しておきましょう。設定しないとただの文字の羅列になってしまい、見栄えが良くありません。基本データの中に設定する項目があるので、ここから設定しておきましょう。

ヘッダー下にはクリックできるボタンが設置できます。電話やメールなどアクションを起こしてもらうボタンです。効果的なお問い合わせ方法を考えて設置するようにしましょう。

● Facebookページ作成のポイント

【Facebookページいいね！を集める】

Facebookページができたら、「Facebookページいいね！」をできるだけ集めます。いいね！を集めると、投稿の拡散力がアップするからです。Facebookページの投稿は、いいね！してくれた友達の友達にさらに表示させるという仕組みになっているので、Facebookページをより多くの人に見てもらうためにはまず、いいね！を集める必要があります。

いいね！を集める方法は主に2つです。

個人のタイムラインでFacebookページをシェアして、友達にいいね！してもらう方法が1つ目です。いいね！はボタン1つでできることなので、友達であれば協力してくれるはずです。まず最初に行ってください。2つ目の方法はFacebook広告を出稿する方法です。広告出稿していいね！を集めることができるので、資金に余裕があれば検討してほしいと思います。

Facebookページに「友達を招待」という項目があります。

これを使うと、自分の友達に対して「このFacebookページにいいね！をしてください」と通知を送ることができます。気軽にFacebookページにいいね！を集められる方法として、よく使われていますが、これは使わない方が無難です。

理由は、あなたが思っている以上に逆ブランディングになるからです。

通知を受け取った人の中には、いいね！をしてくれる人もいるかもしれませんが、不快に感じる人の方が多いです。

せっかくあなたのファンになってくれた人を、いいね！稼ぎに使うようなやり方はやめましょう。フォロワーにお願いしたいなら、タイムラインできちんとお願いすべきです。

【直接の投稿はせずにTwitterの投稿を連携させる】

Facebookページは、Googleなどの検索に引っかかるように作られています。この検索結果からのアクセスも大事にしましょう。検索結果からアクセスしてくれた人がFacebookページを見たときに、更新がされてないと古い印象を抱いてしまいます。もう更新が止まった過去のページと思って閉じられてしまうでしょう。ですから、Facebookページは、ある程度投稿をしている状態、つまりタイムラインが動いてる状態にしておく必要があります。

投稿が面倒な場合は、Twitterの投稿をFacebookページに連携させることで解決します。TwitterをＢＯＴで自動化しておけば、さらに楽です。TwitterからFacebookページへの連携は「ＩＦＴＴＴ」というサービスを使うことで完全自動化できます。

第7章

永続的につながれる オンラインサロンをはじめよう

01 ─ オンラインサロンを用意しておこう

【オンラインサロンはファンクラブコミュニティ】

本書で紹介するコンテンツビジネスの集大成となるのが、オンラインサロンです。まずは、どんなオンラインサロンを作るのかについて考えていきましょう。

オンラインサロンには、さまざまなタイプがあります。例えば、次のような感じで分類できます。

オンラインサロンの分類

- ●教育型（専門スキルやノウハウを提供する）
- ●キュレーター型（オーナーの視点、発信を受け取れる）
- ●ファンクラブ型（オーナーの情報収集、応援する）

● プロジェクト型（何かひとつの目的のために集まる）
● 交流会型（新たな出会い、ご縁をつなぐ）

この中でも、「自分自身のファンを集める」タイプであるキュレーター型とファンクラブ型の合体型が皆さんにはおすすめです。

コンテンツのファンを集めるタイプのオンラインサロンは、ノウハウを出し切ってしまうと人が離れる傾向にあり、1人の継続率が低くなります。継続率が低いということは、常に参加者を集客し続けるシステム作りをしなければなりません。その点、自分自身のファンを集めるタイプなら、継続率が高くなり、成功しやすくなります。

USPという言葉をご存知でしょうか。「Unique Selling Proposition」といって、他社にはない自分の強みを顧客にわかりやすく説明することです。

まずは、自分のどこに求心力があるのかを考えてみましょう。

オンラインサロンは「自分自身のファンを集める」ことが重要なので、ここで考えるべき強みはコンテンツではありません。あなた自身の思考であったり思想であったり、個人的なこだわりをUSPとして考えてみましょう。

例えば私の場合、「徹底した合理主義者」という個性があります。これまでさまざまなプロジェクトを作ってきましたが、合理的に物事を考えて突き詰めるという私の考え方には変わりがありません。

そういう私の考え方を面白いと思ってくれる人が、私のオンラインサロンに集まってくれます。

オンラインサロンに人が集まる理由は主に次の3つです。

- 継続的に何かが学べること
- 自分の居場所があること
- あなたに関われること

まずは、あなたから何かが学べるからこそ、お金を払ってまで人が集まります。自分にとってプラスになる何かが学べることは絶対条件です。

次に、自分の居場所があることです。スタバが「サードプレイス」をコンセプトにしていますが、これと同じで、人は家と会社だけではなく、もう1つの場所を作りたいという欲求があります。これを満たす場としてオンラインサロンを活用します。

最後はもちろん、あなたに関われることです。あなたのファンだから、オンラインサロンに集まるわけなので、あなたがどんな人か、何を提供できるかが大事になります。

これらの3つの満足度を満たす仕掛けを作ることで、息の長いオンラインサロン運営ができるでしょう。

【参加者の満足度を上げるコンテンツ】

オンラインサロンの満足度をあげるためのコンテンツの基本は次の3つです。

コンテンツ① あなたならではの定期的な情報発信

オンラインサロンでは月額でお金をいただくことになるので、定期的にしっかりと価値を提供していかなかればいけません。

このとき大事になるのが、自分の価値観で発信することです。

例えば、私の場合は合理的な考え方が多くの人に支持されているという強みがあるので、いろんな物事について、「私だったらこうする」というように自分の考え方を発信していきます。こういった内容は、私の考え方を知りたい人にとって価値あるコンテンツとなるのです。

コンテンツ② あなたと交流できるイベント開催

オンラインサロンは、あなたと関わりたい人の集まりなのですから、関われる場所を定期的に作ることが大事です。

具体的にはあなたと交流できるイベントをだいたい月に1回ぐらい開催するといいでしょう。

リアルな場所での飲み会やイベントは、オンラインイベントよりも距離感が近くなって、より親密な関係性を築くことができます。

しかし、開催地の近くでないと参加できないというデメリットもあります。遠くに住んでいて毎回参加できない人がいたら、その人の満足度が低下してしまいますので、リアルイベントしか開催しないのはよくありません。

ネットとリアルのイベントを交互にやっていくなどの方法で、参加者みんなが満足できるようなイベントを考えてみましょう。

イベントを開催するときには、参加者の中からお手伝いしてくれる人を毎回お願いしてみましょう。例えば「皆さんのおすすめのお店を教えてください！」のような感じで、お店を紹介してもらったり、予約をお願いしてもいいでしょう。協力してもらうことで、参加者に居場所ができるのです。お客さまから当事者になることで、居場所を求めて参加している参加者の満足度が上がります。

コンテンツ③　お得な割引サービスやサイン本プレゼント

物理的なメリットとしてプレゼントを配るのもよいでしょう。具体的には、自分が出版した書籍を無料でプレゼントするところからはじめるのをおすすめします。レビューを書いてもらうこともできるので一石二鳥です。

他にも、新たなオンライン講座を立ち上げたときは、オンラインサロンの参加者は割引で受講できるようにしたり、セミナーに無料で招待したりなど、金銭的なメリットをオンラインサロンの参加者に提供することでお得感を感じてもらえます。

【お得感を感じてもらえる金額設定を考える】

月額課金ビジネスは、金額設定を間違うと致命的な痛手を受けます。

オンラインサロンの参加者が払うお金は、最初に1回だけ支払う入会金と月額の料金です。月額課金は、毎月継続するかどうかジャッジされるということです。毎年12回、「継続しようかな？　どうしようかな？」とジャッジされるときに、金額に見合う価値を提供していると思われないといけません。

入会金は無料にしてもいいのですが、無料にしていると気軽に退会と入会を繰り返す参加者が出てきてしまいます。入会金の設定をしておくことでこれを防ぐことができます。

オンラインサロンの会費は、月５０００円位を目指しましょう。月５０００円で15人、これがクリアしなければいけない最低ラインだと思っています。この人数がいれば、年間に90万円の収益が上がります。

この金額を、次回の書籍の著者購入に回すことで、年間に1冊は出版できる環境を手に入れることが可能です。なので、第一段階目としてこの人数と金額を目指してください。

月５０００円の会費に見合う価値を考えてみましょう。何を提供すれば月５０００円分満足してもらえるのかということです。

価値を考えるときは、必ず参加者目線で考えます。とはいえ、参加者の人達はあなたのことが好きで入会しているわけですから、そこまでシビアに考えなくてもよいです。ただし、ナメて考えることだけはしないようにしてください。価値判断を甘めに考えることとナメてかかることとは、全く意味が違います。

また、人数が増えてきたら、内容を見直すタイミングです。参加者と一緒に毎月反省会のようなものを開き、運営の方針を一緒に考えていくのもいいと思います。

02 ― オンラインサロンの作り方

[オンラインサロンの設計]

オンラインサロンは、コンセプトを決めるところからはじまります。コンセプトでは、このオンラインサロンに入ると何が提供されて、どんな人がどうなれるのかというところをキッチリ決めておきます。

「どんな人が」の部分は、基本的にオンライン講座の卒業生たちになります。オンライン講座の卒業生たちがどうなれるのかが理想なのかというところをイメージをして、そのために何を提供すればいいかを考えるとコンセプトが決まっていきます。

コンセプトの次は、オンラインサロン名、会費、内容を決めていきましょう。

オンラインサロンの名前は、何でもいいといえばいいのですが、できれば呼びやすい「呼称」をつけられる名前にしましょう。

そして、オンラインサロンで提供できる内容を考えて、内容から会費を考えましょう。参加者は、あなたのことが好きになってから参加するわけですが、「自分のファンなんだから」と、無闇に高額な金額をつけてはいけません。会費と提供する内容のバランスを考えて決めてください。

オンラインサロンを開始する前に、明確な規約を作っておくことが大事です。簡単にいえば、オンラインサロンの中のルール作りですが、特にお金関係のトラブルと参加者間のトラブルは、考えられるトラブル回避できるルールを一通り網羅しておきましょう。

例えば、解約時は解約した瞬間にグループから出すのか、解約申入れ月末で退会させるのかなど、決めておくべき細かいルールはたくさんあります。

それでも想定できなかったトラブルが出てくるのは仕方ないので、実際に運用しながら問題が起こるたびに改定して、よりよい規約を作り上げてください。

【Facebookグループで立ち上げよう】

いよいよオンラインサロンの立ち上げです。オンラインサロンはFacebookグループを使って運用します。

Facebookグループの設定で、「プライバシー設定」を「プライベート」にしましょう。こうしておくと、グループの中の投稿がグループ外の人から見えなくなります。

「検索設定」では、Facebookグループを検索で見つけられないように設定しましょう。検索可にしてしまうと、Facebookグループに入りたい人以外の調査目的や冷やかしのアクセスも集めてしまうことになります。オンラインサロンは、基本的にはオンライン講座卒業生のみを集客する、特別で、ある意味秘密の空間です。無意味なアクセスは集める必要はありません。

Facebookグループの説明欄には、グループのコンセプトと活動内容、規約を入れておきます。

03 ─ オンラインサロンの集客

[集客の導線はオンライン講座の卒業生だけにする]

　オンラインサロンへの集客はクローズドな空間で行います。具体的には、オンライン講座の最後にアンケートに答えてもらい、そのお礼メールでオンラインサロンを案内するという形です。

　オンライン講座を途中で投げ出さずに、最後まで受講してくれて、最後にアンケートまで答えてくれた人は、この時点でかなりあなたのことを好意的に思っています。この好意的な人達にだけ、オンラインサロンの存在を伝えておすすめしてください。

　つまり、アンケートに答える答えないで、ひとつの足切りをする感じになっています。オンライン講座の内容に納得いただけていない場合、アンケートへの協力をしてくれないことが多いでしょう。そういう人たちにまでオンラインサロンへの勧誘をしてしまうと、売り込みに感じられてしまう可能性が高いので、あなたの濃いファンにだけ知らせるのが得策です。

オンラインサロンの集客が成功するかどうかは、人数の問題ではありません。むしろ、一般開放してあらゆる人に向けて集客してしまうと、嫌な噂を立てられたり、参加者さん達にちょっかいを出されたりすることもあります。さまざまな迷惑行為をしてくる人が実際に存在するので、オンラインサロンの存在自体を外から見えないようにするべきだと考えます。

外からは見えない空間にすることで、参加者たちには特別感や優越感を感じてもらえるという効果もあります。「入りたくても誰でも入れるわけではないオンラインサロン」という気持ちになるからです。このオンラインサロンの参加者だけしか入れないイベントや勉強会や飲み会……そういう特別感があると、参加者の居場所としてのオンラインサロンの価値が上がります。

ときどき、Facebookのタイムラインでその様子をシェアすることによって、さらに秘密の仲間という感じが出て優越感が生まれるので「ちょい見せ」はおすすめです。

04 ― オンラインサロンの運営

【雰囲気のいいオンラインサロンにするために】

オンラインサロンができあがって集客をしていくと、どんどん参加者が増えていきます。ここからオンラインサロンは運営段階に入っていくわけですが、雰囲気のいいオンラインサロンにするためにどうすればいいでしょうか。

オンラインサロンには運営事務局を設置しますが、これはできたら自分以外の人に就任してもらうことをおすすめします。

オンラインサロンはある意味自分のファンクラブなので、本人が運営してしまうと何かと不都合が生まれてしまうからです。

参加者間で何かトラブルがあったとき、あなたが仲裁に入ったり、注意したりする立場になってしまうと、うまく捌けないことがあります。仮にうまく仲裁したとしても、参加者の熱が一気に冷めてしまうこともよくあります。

トラブル解消や雑務などの事務局的なことは他の人にやってもらうのが一番いいです。誰か頼めそうな人がいたらお願いするとよいでしょう。

誰も頼める人がいないなら自分でやるしかないのですが、その場合も別アカウントを作って、架空の第三者という立ち位置で事務局を運営する方法をおすすめします。事務的なことであなたが直接参加者とコンタクトをとるのは、あまりおすすめできません。

オンラインサロンでは、参加者同士で応援・協力がしやすい環境を作ってあげましょう。オンラインサロンに入っている人が仕事や副業で何かしらのチャレンジをしたときに、オンラインサロンを使って告知や集客ができる環境を作ってあげると、かなり喜ばれます。相互に応援しあえるような環境があれば、オンラインサロンは活気づきますし、主催者のこともっと応援してくれる土壌ができます。

あなたも、もちろん応援や協力をしてあげましょう。そういう状況を作っていれば、あなたが次のオンライン講座をリリースするときにも、参加者は喜んで手伝ってくれます。応援する前向きな環境作りのためにも、積極的に相互支援の環境を整えてください。

オンラインサロンへの要望や不満を、アンケートで吸い上げるような仕組みも作っておきましょう。アンケートの頻度はそんなに多くする必要はありません。年に1回、忘年会などの機会を作り、この場でオンラインサロンへの要望や意見を吸い上げるとよいでしょう。自分ではうまく運営しているつもりでも、参加者の不満が少しずつ溜まっていくことはよくあります。普通に退会されるだけならいいですが、参加者間で連絡を取り合ってみんなで一気に抜けるということも起こりかねません。そうならないためにも、なるべく不満が小さいうちに定期的に意見を吸い上げるようにしてください。

【定期的にリアルで交流して心の距離を縮めよう】

あなたと交流したい人が集まってくるのがオンラインサロンですから、定期的にリアルな場で交流して、心の距離を縮めるようにしてください。

月に1回、交流する機会を作るとよいでしょう。

ただし、適当に月1で集まるだけではマンネリ化してしまいます。何かワクワクするようなコンセプトやテーマを決めるようにして、新鮮さを感じられる内容にして欲しいと思います。

新しい話題のお店にみんなで行ってみるなどでもいいですね。話題性、専門性、共創性、継続性などを意識して、ワクワクするコンセプトで毎回開催していきましょう。


イベントを開催したら必ずイベントの記録を残して、思い出を共有してください。方法としては、盛り上がっている会の写真や集合写真を撮影し、Facebookでシェアする感じです。


思い出を共有すると心の距離が縮まります。このコミュニティから離れたくない、退会したくないという感情が生まれるので、集合写真などの思い出の共有は本当に重要です。

セールスページに写真を使えば、楽しげでワクワクする雰囲気を伝えることもできますし、イベントの雰囲気が伝わりやすくなります。

たまには、オンラインサロンの参加者だけではなく、一般の人も参加できる公開イベントを開催してみるのも面白いアイデアです。他のオンラインサロンやコミュニティとコラボもいいかもしれません。違う人たちと交流することによって、新しい風が入ってきて人脈も増え、新たな発見も生まれます。

05 ― オンラインサロンをビジネスに活かす

[ニーズをリサーチすることで売上が見込める]

オンラインサロンをビジネス的に活用していくと、次のオンライン講座を考えるのが簡単になります。オンラインサロンの参加者からは会費をお支払いいただいてるので、そこから更に何かに申し込んでもらって直接的に売上を立てることを考えるというよりは、オンラインサロンの参加者からの意見を集めるという意味でオンラインサロンを活用するといいと思います。

オンラインサロンでして欲しい質問の1つ目は「私から受けたいオンライン講座はどんなオンライン講座ですか？」です。

あなたはオンラインサロンで常に情報発信をしているので、あなたの考え方や魅力は参加者が一番よくわかっています。その人達に、次はどんなテーマで話が聞きたいかをリサーチすることで、次回オンライン講座のテーマのヒントになります。

集まった意見から、次回のオンライン講座の草案を作りましょう。内容や料金など、細かいところまで決まったところで、「もし、このオンライン講座を立ち上げたら、実際に申込みますか？」と参加者に質問してみます。

ここで大事なのは、本音で答えてもらうことです。

「申し込みません」という意見も正直に答えてもらうようにしましょう。「なんで申し込まないんですか？」とさらにヒアリングを深めていくと、問題点や改善点が見えてきます。内容が嫌だとか値段が高いとか、さまざまな意見があると思います。料金が高いといわれた場合は、内容をより深くしてお得感を出す、内容をそのままに料金を下げるなどの改善点が見えてきます。とにかく指摘をしてもらうことで、よりよいオンライン講座を構築できるようになります。

上がってきた意見を反映し、オンライン講座をよりよいものにしていくと、一度は「申し込まない」といっていた人も申し込んでくれるようになります。否定的な意見にも真摯に向き合いましょう。

【次のオンライン講座立ち上げに巻き込んでいく】

オンライン講座が本格的に準備できたら、集客の段階に入ります。この段階でも、オンラインサロンの参加者を巻き込んでいってください。オンラインサロンの参加者は、あなたが好きで参加しているわけですから、手伝って欲しいとお願いすれば、皆一生懸命盛り上げてくれるはずです。

あなたの新しいオンライン講座が成功することは、オンラインサロンの参加者たちにとっても喜ばしいことなので、喜んで盛り上げに参加してくれるでしょう。

オンラインサロンの参加者はあなたにとって特別な存在です。新しいオンライン講座ができたら、最初にオンラインサロンの中で特別価格で案内をしましょう。初期メンバーになってもらい、先に受講してもらうことで感想を聞くことも可能です。

06　オンラインサロンを使った継続する仕組み

【オンラインサロンはストックビジネスの集大成】

最後は、オンラインサロンを使った継続する仕組みについてです。私はオンラインサロンをストックビジネスの集大成だと思っています。オンラインサロンを作ったら、大事に育てていきましょう。

オンラインサロンでは、月額会費の会員を増やしていくことと、飽きさせずに滞留させることの両方が大事です。

もちろん、解約をゼロにすることはできませんが、少しずつ解約率を改善することで、コツコツとストック環境を作っていきましょう。

オンラインサロンの人数が増えると、影響力もどんどん増していきます。この影響力は自分のサービスを売るのに使うだけではなく、自分がおすすめする他の人のサービスも売れるようになっていきます。これは、自分自身の信頼度が上がっていった結果です。

あなたのいうことがほぼほぼ承認されるような状態になると、誰かに「紹介してよ」といわれたサービスも申し込みにつながるようになります。

オンラインサロンの参加者はあなたの一番の優良顧客なので、紹介するサービスは厳選しないと逆に信頼を失うことになるので気をつけるべきですが、人が集まれば集まるほど、スケールメリットが生じるのは事実です。

この力は、自分だけのために使わず、他の人の応援に使うことで、より感謝されてよい連鎖が生まれていくでしょう。

人が集まると、さまざまなスキルが共存し、相乗効果が生まれます。

人数が増えれば増えるほど、「この人とこの人でコラボしたら面白いんじゃないか」というような企画が生まれてきます。

オンラインサロンの中でビジネスが生まれやすい環境ができるので、積極的にコラボ企画などを発生させるのも面白いです。

必要なスキルがあれば、まずはオンラインサロン内で「こういうことができる人、いませんか」と投げてみると、意外な特技やスキルを持つ人が出てきます。ぜひ参加者のスキルを有効活用してみてください。

【次々とオンライン講座を立ち上げて入り口を増やす】

再三お話ししましたが、オンラインサロンは、コンテンツビジネスにおいて最終的な目的となる場所です。ですが、ここで人を停滞させるわけではなく、どんどん新しいオンライン講座を作ってサイクルを回していきます。

オンライン講座の卒業生をオンラインサロンに集めてきて、オンラインサロンで企画を立ててまた次のコンテンツを生み出す……このサイクルを回すことで、オンラインサロンの入口が増えていきます。

オンラインサロンに人が集まっていくいい循環ができ、ストックビジネスの理想の循環が生まれます。オンラインサロンは、ストックビジネスの集大成的なビジネスモデルになるのです。

● 次々とオンライン講座を立ち上げて入り口を増やす

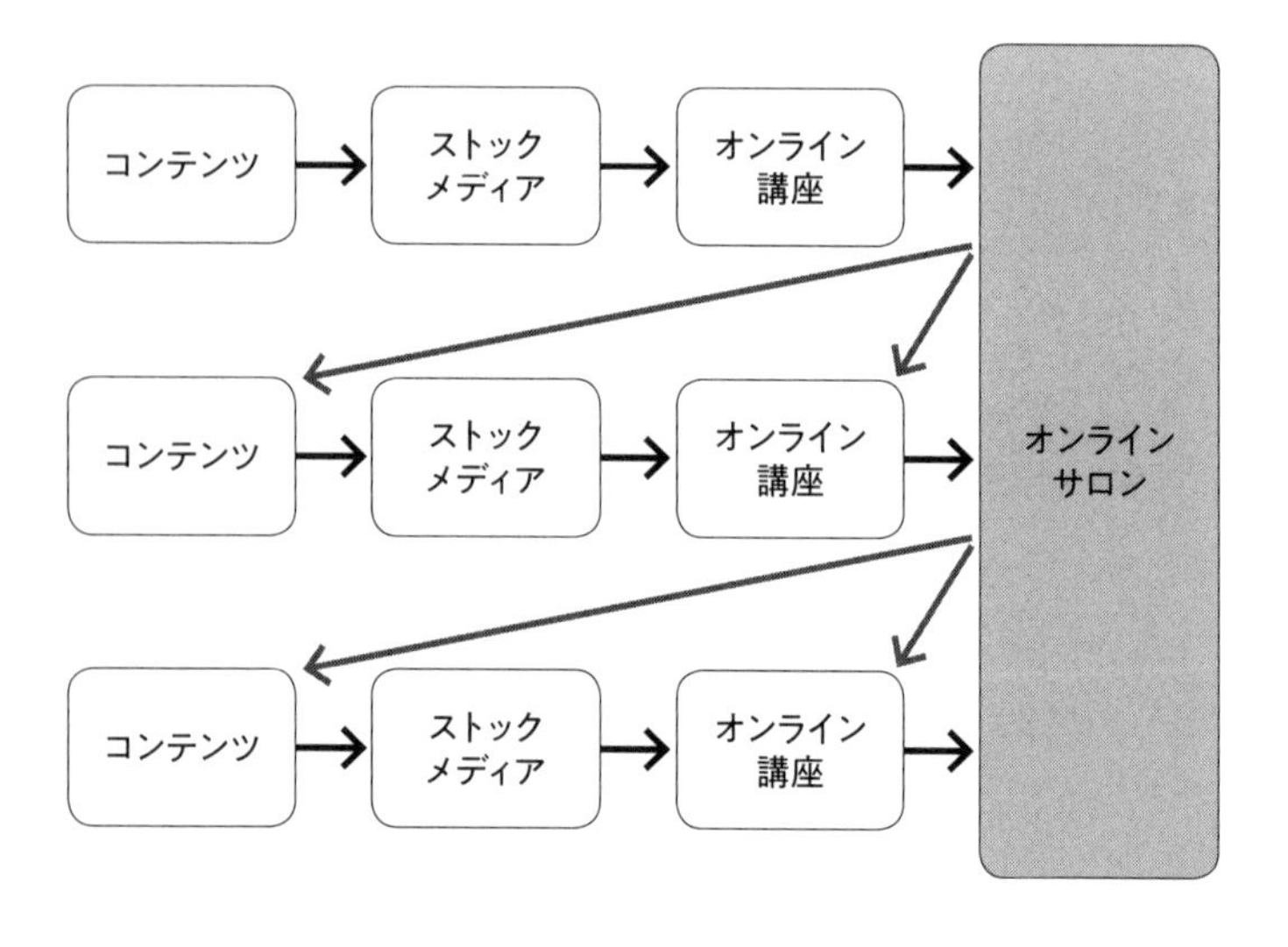

おわりに

最後までお読みいただき、ありがとうございました。これで、私が提唱するコンテンツビジネスというものの全貌がご理解いただけたのではないでしょうか。

では、自分の中にダイヤモンドを見つけることはできましたか?

私は、そもそも書籍の編集を生業にしております。そして、その傍らで出版プロデュース業も営んでいるため、多くの出版希望者と話しをしてきました。そんな私だからこそ断言できるのですが、もし、あなたが30歳以上であるのなら、必ず、自分の中に何かダイヤモンドの原石があるはずです。もちろん、10代、20代の人にはないということではありません。ただ、中にはまだ成熟しきっていない場合があるかもしれないということです。

そのダイヤモンドの原石が見つかったら、あとはどうカットするかだけ。カットのしかたで価値は大きく変わってきます。これがいわゆる切り口というものです。切り口の見つけ方から、商品化していく方法は本書で解説しているので、しっかり読んで取り組んでみてください。もし、わからないところがあったら、気軽にメールで質問してください。メールアドレスは最後のページのプロフィール欄に記載してあります。

今後、新型コロナウィルスがもたらした社会構造の変革の影響により、ますます働き方も変わってくるでしょう。そんな中で重視されていくのは、やはりそれぞれの『個の力』です。

自分の中にある知識や経験をコンテンツにする力、そのコンテンツをマネタイズするノウハウは、これからの時代の必須のスキルとなると思います。

そして、それを身につけることで、あなたのビジネスはもっともっと加速していくことになるはずです。

この本がそのきっかけになってくれたら、筆者としてこの上ない幸せです。

コンテンツプロデューサー　山田　稔

これからの時代の新しい起業のカタチ！
シリーズコラボ企画

ひとりではじめるコンテンツビジネス入門（山田稔 著）
×
おうちではじめるリモートビジネス入門（望月高清 著）

あなたのビジネスに役立つ 3つの特典映像をプレゼント　合計2時間50分

【特典1】 特別セミナー映像（80分）

「出版ブランディングでビジネスを加速させよう」

講師：山田稔

- 出版できる企画書の書き方
- 専門家でなくても出版する方法
- 出版社が求めているネタとは　ほか多数

【特典2】 特別セミナー映像（50分）

「リモートビジネスでもう一つの収入を確保しよう」

講師：望月高清

- リモートビジネスの売り上げを最大化させる
- 抑えておくべき商品作成のポイント
- セールスからカスタマーまでを自動化する方法　ほか多数

【特典3】 山田稔×望月高清　特別対談映像（40分）

「リモートビジネスがもたらす社会的な影響について」

プレゼントは右のQRコードを
読み取って下さい。

直接ブラウザに入力する場合は
下記のURLをご入力ください。

特典映像は著作権法で保護された著作物です。 許可なく配布・転載を禁止します。
特典は予告なく終了する場合があります。 お早めにお申し込み下さい。

著者紹介
山田 稔（やまだ みのる）
千葉県出身ブラジル育ち。ネットの黎明期からパソコン書の編集者として20年以上従事。その間、著者の強みと特長を最大限に引き出し、商品力の高いコンテンツとして仕立て、数々のベストセラーを手がける。紙とネットの両メディアに精通しており、ビジネスを加速させるためのコンテンツ戦略が得意。自らも著者として活動中。

mail：info@yamada4691.com
blog：https://yamada4691.com/

これからの時代の新しい起業のカタチ!
ひとりではじめる コンテンツビジネス入門

2020年11月27日　初版第一刷発行
2021年6月28日　　　第二刷発行

著　者　　山田稔
発行者　　宮下晴樹
発　行　　つた書房株式会社
〒101-0025　東京都千代田区神田佐久間町3-21-5　ヒガシカンダビル3F
TEL. 03（6868）4254
発　売　　株式会社三省堂書店/創英社
〒101-0051　東京都千代田区神田神保町1-1
TEL. 03（3291）2295
印刷／製本　シナノ印刷株式会社

ISBN978-4-905084-41-9